Developing Chinese

第二版
2nd Edition

Elementary Reading and Writing Course

初级读写

（I）

李泉 王淑红 么书君 编著

Developing Chinese

第二版
2nd Edition

编写委员会

主　编：李　泉

副主编：么书君　张　健

编　委：李　泉　么书君　张　健　王淑红　傅　由　蔡永强

总前言

《发展汉语》(第二版)为普通高等教育“十一五”国家级规划教材。为保证本版编修的质量和效率，特成立教材编写委员会和教材编辑委员会。编辑委员会广泛收集全国各地使用者对初版《发展汉语》的使用意见和建议，编写委员会据此并结合近年来海内外第二语言教学新的理论和理念，以及对外汉语教学和教材理论与实践的新发展，制定了全套教材和各系列及各册教材的编写方案。编写委员会组织全体编者，对所有教材进行了全面更新。

适用对象

《发展汉语》(第二版)主要供来华学习汉语的长期进修生使用，可满足初(含零起点)、中、高各层次主干课程的教学需要。其中，初、中、高各层次的教材也可供汉语言专业本科教学选用，亦可供海内外相关的培训课程及汉语自学者选用。

结构规模

《发展汉语》(第二版)采取综合语言能力培养与专项语言技能训练相结合的外语教学及教材编写模式。全套教材分为三个层级、五个系列，即纵向分为初、中、高三个层级，横向分为综合、口语、听力、阅读、写作五个系列。其中，综合系列为主干教材，口语、听力、阅读、写作系列为配套教材。

全套教材共28册，包括：初级综合(Ⅰ、Ⅱ)、中级综合(Ⅰ、Ⅱ)、高级综合(Ⅰ、Ⅱ)，初级口语(Ⅰ、Ⅱ)、中级口语(Ⅰ、Ⅱ)、高级口语(Ⅰ、Ⅱ)，初级听力(Ⅰ、Ⅱ)、中级听力(Ⅰ、Ⅱ)、高级听力(Ⅰ、Ⅱ)，初级读写(Ⅰ、Ⅱ)、中级阅读(Ⅰ、Ⅱ)、高级阅读(Ⅰ、Ⅱ)，中级写作(Ⅰ、Ⅱ)、高级写作(Ⅰ、Ⅱ)。其中，每一册听力教材均分为“文本与答案”和“练习与活动”两本；初级读写(Ⅰ、Ⅱ)为本版补编，承担初级阅读和初级写话双重功能。

编写理念

“发展”是本套教材的核心理念。发展蕴涵由少到多、由简单到复杂、由生疏到熟练、由模仿、创造到自如运用。“发展汉语”寓意发展学习者的汉语知识，发展学习者对汉语的领悟能力，发展学习者的汉语交际能力，发展学习者的汉语学习能力，不断拓展和深化学习者对当代中国社会及历史文化的了解范围和理解能力，不断增强学习者的跨文化交际能力。

“集成、多元、创新”是本套教材的基本理念。集成即对语言要素、语言知识、文化知识以及汉语听、说、读、写能力的系统整合与综合；多元即对教学法、教学理论、教学大纲以及教学材料、训练方式和手段的兼容并包；创新即在遵循汉语作为外语或第二语言教学规律、继承既往成熟的教学经验、汲取新的教学和教材编写研究成果的基础上，对各系列教材进行整体和局部的特色设计。

教材目标

总体目标：全面发展和提高学习者的汉语语言能力、汉语交际能力、汉语综合运用能力和汉语学习兴趣、汉语学习能力。

具体目标：通过规范的汉语、汉字知识及其相关文化知识的教学，以及科学而系统的听、说、读、写等语言技能训练，全面培养和提高学习者对汉语要素（语音、汉字、词汇、语法）形式与意义的辨别和组配能力，在具体文本、语境和社会文化规约中准确接收和输出汉语信息的能力，运用汉语进行适合话语情境和语篇特征的口头和书面表达能力；借助教材内容及其教学实施，不断强化学习者汉语学习动机和自主学习的能力。

编写原则

为实现本套教材的编写理念、总体目标及具体目标，特确定如下编写原则：

（1）课文编选上，遵循第二语言教材编写的针对性、科学性、实用性、趣味性等核心原则，以便更好地提升教材的质量和水平，确保教材的示范性、可学性。

（2）内容编排上，遵循第二语言教材编写由易到难、急用先学、循序渐进、重复再现等通用原则，并特别采取“小步快走”的编写原则，避免长对话、长篇幅的课文，所有课文均有相应的字数限制，以确保教材好教易学，增强学习者的成就感。

（3）结构模式上，教材内容的编写、范文的选择和练习的设计等，总体上注重“语言结构、语言功能、交际情境、文化因素、活动任务”的融合、组配与照应；同时注重话题和场景、范文和语体的丰富性和多样化，以便全面培养学习者语言理解能力和语言交际能力。

（4）语言知识上，遵循汉语规律、汉语教学规律和汉语学习规律，广泛吸收汉语本体研究、汉语教学研究和汉语习得研究的科学成果，以确保知识呈现恰当，诠释准确。

（5）技能训练上，遵循口语、听力、阅读、写作等单项技能和综合技能训练教材的编写规律，充分凸显各自的目标和特点，同时注重听说、读说、读写等语言技能的联合训练，以便更好地发挥“综合语言能力 + 专项语言技能”训练模式的优势。

（6）配套关联上，发挥系列配套教材的优势，注重同一层级不同系列平行或相邻课文之间，在话题内容、谈论角度、语体语域、词汇语法、训练内容与方式等方面的协调、照应、转换、复现、拓展与深化等，以便更好地发挥教材的集成特点，形成“共振”合力，便于学习者综合语言能力的养成。

（7）教学标准上，以现行各类大纲、标准和课程规范等为参照依据，制定各系列教材语言要素、话题内容、功能意念、情景场所、交际任务、文化项目等大纲，以增强教材的科学性、规范性和实用性。

实施重点

为体现本套教材的编写理念和编写原则，实现教材编写的总体目标和具体目标，全套教材突出了以下实施重点：

（1）系统呈现汉语实用语法、汉语基本词汇、汉字知识、常用汉字；凸显汉语语素、语段、语篇教学；重视语言要素的语用教学、语言项目的功能教学；多方面呈现汉语口语语体和书面语体的特点及其层次。

（2）课文内容、文化内容今古兼顾，以今为主，全方位展现当代中国社会生活；有针对性地融入与学习者理解和运用汉语密切相关的知识文化和交际文化，并予以恰当的诠释。

（3）探索不同语言技能的科学训练体系，突出语言技能的单项、双项和综合训练；在语言要素学习、课文读解、语言点讲练、练习活动设计、任务布置等各个环节中，凸显语言能力教学和语言应用能力训练的核心地位。并通过各种练习和活动，将语言学习与语言实践、课内学习与课外习得、课堂教学与目的语环境联系起来、结合起来。

（4）采取语言要素和课文内容消化理解型练习、深化拓展型练习以及自主应用型练习相结合的训练体系。几乎所有练习的篇幅都超过该课总篇幅的一半以上，有的达到了2/3的篇幅；同时，为便于学习者准确地理解、掌握和恰当地输出，许多练习都给出了交际框架、示例、简图、图片、背景材料、任务要求等，以便更好地发挥练习的实际效用。

（5）广泛参考《汉语水平等级标准与语法等级大纲》（1996）、《汉语水平词汇与汉字等级大纲》（2001）、《高等学校外国留学生汉语言专业教学大纲》（2002）、《国际汉语教学通用课程大纲》（2008）、《欧洲语言共同参考框架：学习、教学、评估》（中译本，2008）、《新汉语水平考试大纲（HSK1–6级）》（2009–2010）等各类大纲和标准，借鉴其相关成果和理念，为语言要素层级确定和选择、语言能力要求的确定、教学话题及其内容选择、文化题材及其学习任务建构等提供依据。

（6）依据《高等学校外国留学生汉语教学大纲（长期进修）》（2002），为本套教材编写设计了词汇大纲编写软件，用来筛选、区分和确认各等级词汇，控制每课的词汇总量和超级词、超纲词数量。在实施过程中充分依据但不拘泥于"长期进修"大纲，而是参考其他各类大纲并结合语言生活实际，广泛吸收了诸如"手机、短信、邮件、上网、自助餐、超市、矿泉水、物业、春运、打工、打折、打包、酒吧、客户、密码、刷卡"等当代中国社会生活中已然十分常见的词语，以体现教材的时代性和实用性。

基本定性

《发展汉语》（第二版）是一个按照语言技能综合训练与分技能训练相结合的教学模式编写而成的大型汉语教学和学习平台。整套教材在语体和语域的多样性、语言要素和语言知识及语言技能训练的系统性和针对性，在反映当代中国丰富多彩的社会生活、展现中国文化的多元与包容等方面，都作出了新的努力和尝试。

《发展汉语》（第二版）是一套听、说、读、写与综合横向配套，初、中、高纵向延伸的、完整的大型汉语系列配套教材。全套教材在共同的编写理念、编写目标和编写原则指导下，按照统一而又有区别的要求同步编写而成。不同系列和同一系列不同层级分工合作、相互协调、纵横照应。其体制和规模在目前已出版的国际汉语教材中尚不多见。

特别感谢

感谢国家教育部将《发展汉语》（第二版）列入国家级规划教材，为我们教材编写增添了动力和责任感。感谢编写委员会、编辑委员会和所有编者高度的敬业精神、精益求精的编写态度，以及所投入的热情和精力、付出的心血与智慧。其中，编写委员会负责整套教材及各系列教材的规划、设计与编写协调，并先后召开几十次讨论会，对每册教材的课文编写、范文遴选、体例安排、注释说明、练习设计等，进行全方位的评估、讨论和审定。

感谢中国人民大学么书君教授和北京语言大学出版社张健总编辑为整套教材编写作出的特别而重要的贡献。感谢北京语言大学出版社戚德祥董事长对教材编写和编辑工作的有力支持。感谢关注本套教材并贡献宝贵意见的对外汉语教学界专家和全国各地的同行。

特别期待

○ 把汉语当做交际工具而不是知识体系来教、来学。坚信语言技能的训练和获得才是最根本、最重要的。

○ 鼓励自己喜欢每一本教材及每一课书。教师肯于花时间剖析教材，谋划教法。学习者肯于花时间体认、记忆并积极主动运用所学教材的内容。坚信满怀激情地教和饶有兴趣地学会带来丰厚的回馈。

○ 教师既能认真"教教材"，也能发挥才智弥补教材的局限与不足，创造性地"用教材教语言"，而不是"死教教材"、"只教教材"，并坚信教材不过是教语言的材料和工具。

○ 学习者既能认真"学教材"，也能积极主动"用教材学语言"，而不是"死学教材"、"只学教材"，并坚信掌握一种语言既需要通过课本来学习语言，也需要在社会中体验和习得语言，语言学习乃终生之大事。

李　泉

编写说明

适用对象

《发展汉语·初级读写》(Ⅰ)，是《初级综合》(Ⅰ)、《初级口语》(Ⅰ)和《初级听力》(Ⅰ)的配套教材，适合使用相关配套教材的零起点或能进行最简单而有限交际的汉语初学者使用，也可供学过或正在学习汉语语音、汉字基本知识和汉语语法基本知识的初学者选用。

定性定位

由于学习者语言水平的限制，《初级读写》不可能按一般意义上的阅读教材或写作教材来设计和编写，而多年的教学实践表明：零起点开始的初级汉语教学确实需要开设一门用于消化、深化和拓展以综合课为主的初级汉语教学内容的课程，以进一步打牢汉语基础，并为顺利地进入中级阶段的汉语学习作好准备。为此，我们根据初级阶段汉语教学的特点和教学的实际需要，拟通过精读和泛读某些实用语块以及相关的读写训练，来巩固和深化学习者认汉字、写汉字，认词语、写词语，认句子、写句子，读句段、写句段的能力；强化和拓展学习者感知汉语语音语调、认知汉语语素、内化汉语句法结构的能力；增强和提高学习者初级阶段的汉语阅读理解能力和口头表达能力。因此，《初级读写》是针对初级阶段教学和学习的实际需求而设计的强化性的配套教材，以帮助学习者打牢汉语基础，减缓初、中级之间语言学习的“陡坡”。

教材目标

本教材的具体目标是：通过实用语块的学习和其他相关训练，进一步强化、深化和拓展学习者的汉语语音、汉字、语法知识，熟练掌握汉语的基本句法结构和实用语句。具体而言：

（1）熟练掌握汉语声、韵、调及其拼合规则，熟悉轻声、儿化的特点，打牢语音语调基础。

（2）熟练掌握汉字的基本笔画、笔顺和汉字的基本结构规则，能够正确认读和书写所学汉字。

（3）牢固掌握汉语的基本句法结构、基本句型和常见的语法、语用手段。

（4）熟练掌握与语言学习和生活密切相关的实用语块，并能够识认多种场合的实用语块。

（5）能够阅读浅显的适合初级水平学习者的汉语语段，能规范工整地书写汉字、语句和语段。

特色追求

（1）突出语块教学，打牢汉语基础

初级阶段是汉语学习的关键阶段，打好学习者的汉语基础不仅有利于扎实而充分地完成本阶段的教学任务，更有利于学习者顺利地进入中级阶段的汉语学习。其中，加强该阶段的语音、汉字（语素）和基本句法结构（主谓、动宾、动补、定中、状中等）的教学是关键。而突出语素的教学、突出词组和句子结构规则一体化的教学、突出重叠和重复等语法和语用手段的教学，即是加强了基于汉语特点的教学。这其中又以凸显汉语词组、短句和格式结构——语块的教学为核心。基于语块的汉语教学不仅能够有效地减轻学习者初级阶段语言输入和输出的心理负担，有效地提高学习者语言使用的便捷性和流利性，而且能够体现和实现突出汉语语音语调、汉字及语素和基本句法结构教学的目的。

（2）语言要素教学与语块教学相结合

初级阶段的语块教学不仅体现了语言习得的认知规律，也是中国传统的启蒙教育的方法在对外汉语教学中的回归和体现。然而，语块教学只是特定教学阶段和特定教学内容的一种教学方式，对于初级阶段的汉语教学来说，它还应当配合以结构主义语言教学为主的外语教学方式，如此才能将语言要素教学跟预制语块教学结合起来，并相得益彰。为此，本教材重视重现、深化、强化和拓展以《初级综合》为主的基础阶段语音、汉字和语法结构的教学，将语言要素的教学和语言技能的训练与语块教学结合起来、融合起来。

（3）突出实用性读写训练，拓展语言能力

通过教材设计的重点精读课文——朗读并背诵，以及泛读材料——实用阅读、实用练习和阅读理解等相关的读写训练，来满足学习者当前语言学习和语言生活的实际需求，完成复现和深化语言知识教学和认、读、写等语言技能的训练。同时，力求把语言学习跟目的语环境结合起来，通过实用阅读和实用练习等教学环节的实施，来拓展学习者在多种场合和情境下的实用汉语阅读能力，增强学习者语言学习的成就感和实际应用汉语的能力。

使用建议

（1）本教材共 15 课，每课建议用 2 课时完成。

（2）每课首段的精读课文“朗读并背诵”是教学的重点，是本教材语块教学的关键与核心所在，要求在理解的基础上，由教师带领学生熟读直至背诵下来。

（3）为突出语音语调的训练，本教材前四课的主课文的呈现形式以汉语拼音为主，辅之以汉字，以减缓认读汉字的压力；第五课开始以汉字为主，辅之以汉语拼音，以突显汉字（语素）及语块教学。请在教学实施中体现这一编写设计理念。

（4）“汉字书写练习”要求在认读和理解其基本字义的基础上，在教师的示范和指导下，课上完成教材所给田字格的汉字书写任务，以加深学习者对汉字结构规则的体认和基本字义（语素义）的理解和把握。

（5）“实用阅读”环节的设计是本教材的大胆尝试，是真实语块泛读教学的体现。要求教师诠释相关语块的使用场合与情景，以帮助学习者更好地认读和理解相关的语块内容，提升其实用阅读理解能力。教学过程中，教师可根据实际情况适当补充相关的实用语块。

（6）“实用练习”和“阅读理解”两部分内容可在课堂教学过程中完成，其中的个别练习（如“抄写短文”等）可留在课后完成。

特别期待

◎ 课前认真预习你将学习的每一课。

◎ 反复大声朗读你正在学习的课文。

◎ 喜欢每一篇课文，并学在其中，乐在其中。

◎ 课后经常复习学过的课文，积极寻找机会使用课文所学内容。

◇ 及时批改和讲评学习者的课内外作业。

◇ 真诚而恰当地肯定学习者的每一次进步。

◇ 课下深度备课，课上激情投入。

◇ 适时而恰当地传授学习策略，发展学习者的汉语学习能力。

《发展汉语》(第二版)编写委员会及本册教材编者

目录 Contents

1 你好

Hello

一、朗读并背诵 *Read and recite*

Nǐ hǎo! Nín hǎo! Lǎoshī hǎo!
你 好！ 您 好！ 老师 好！

Xièxie, xièxie, xièxie nǐ.
谢谢， 谢谢， 谢谢 你。

Zàijiàn, zàijiàn, míngtiān jiàn.
再见， 再见， 明天 见。

老师	lǎoshī	teacher
谢谢	xièxie	to thank you
再见	zàijiàn	goodbye
见	jiàn	to see
明天	míngtiān	tomorrow

二、汉字基本笔画书写 *Write basic strokes*

héng 横	一	一					
shù 竖	丨	丨					
piě 撇	丿	丿					
nà 捺	㇏	㇏					
diǎn 点	丶	丶					
tí 提	㇀	㇀					
héngzhé 横折	㇕	㇕					

三、汉字书写练习 *Write characters*

èr	2画 一 二 two
二	
nǐ	7画 ノ 亻 亻 仆 价 价 你 you
你	
bā	2画 ノ 八 eight
八	
tiān	4画 一 二 チ 天 sky, day
天	
wǒ	7画 ノ 二 于 手 找 我 我 I, me
我	
shì	9画 丨 冂 日 日 旦 早 早 昰 是 to be (am, is, are...)
是	
wǔ	4画 一 丆 万 五 five
五	

四、实用阅读 *Practical reading*

男 nán male

女 nǚ female

中国 Zhōngguó China

五、实用练习 *Practical exercises*

1. 看图选择词语或句子 Look at the pictures and choose the words or sentences.

□男 □女

□女老师 □男老师

□你 □您

□你好！ □谢谢您！

❺

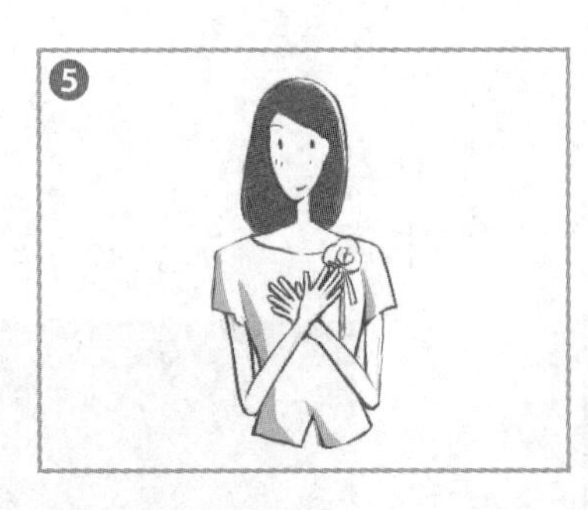

❻

□ 你是中国人。 □ 我是中国人。　　□ 谢谢。 □ 明天见。

2. 看图判断正误　Look at the pictures and decide whether the descriptions are right (√) or wrong (×).

例如：美国 ☒

早上 □

中国 □

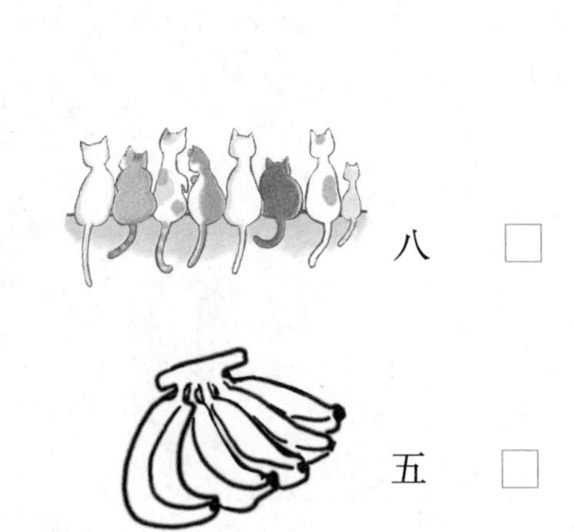

八 □

五 □

3. 填写词语或句子　Fill in the blanks with the appropriate words, phrases or sentences.

❶

A：他是哪国人？

B：________________。

❷

A：老师，________________！

B：早上好！

4. 抄写句子并模仿写出自己的句子

Copy the sentences and make sentences of your own following them.

例句：我是马一明，我是中国人。他是大林，他是日本人。

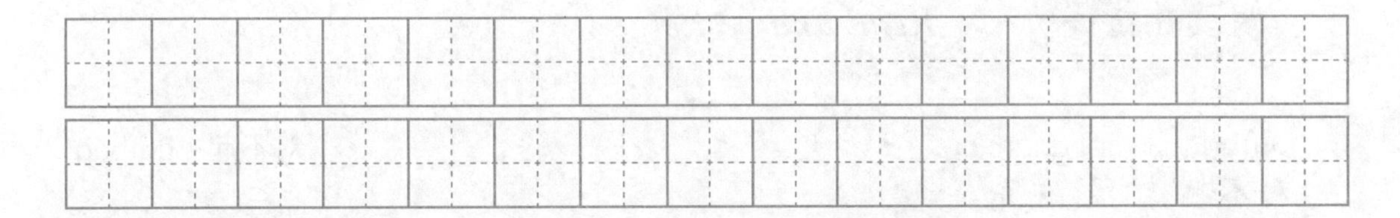

我写的句子：

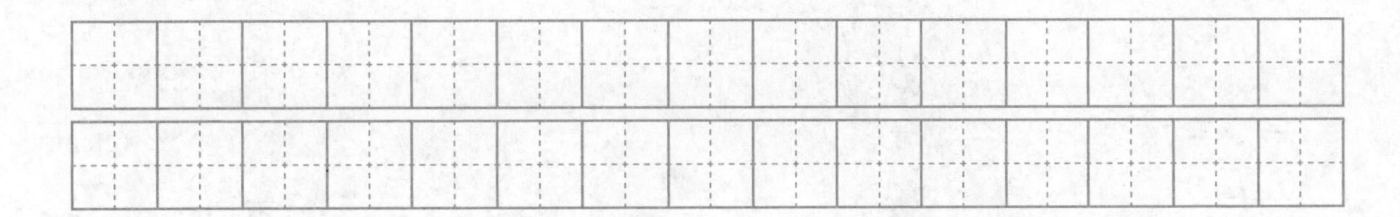

2 谢谢你 Thank You

一、朗读并背诵 *Read and recite*

Duìbuqǐ, méi guānxi.
对不起，没关系。

Xièxie nǐ, bú kèqi.
谢谢你，不客气。

Yī、èr、yī, yī、èr、yī,
一、二、一，一、二、一，

yī、èr、sān、sì、wǔ、liù、qī.
一、二、三、四、五、六、七。

Sì shì sì, shí shì shí,
四是四，十是十，

shísì shì shísì, sìshí shì sìshí.
十四是十四，四十是四十。

对不起 duìbuqǐ sorry

没关系 méi guānxi It doesn't matter.

没 méi not

不客气 bú kèqi You're welcome.

不 bù no, not

十四 shísì fourteen

四十 sìshí forty

二、汉字基本笔画书写 *Write basic strokes*

piězhé 撇折	ㄥ	ㄥ							
hénggōu 横钩	㇖	㇖							
shùgōu 竖钩	亅	亅							
shùwāngōu 竖弯钩	乚	乚							

piědiǎn 撇点	㇛	㇛							
wògōu 卧钩	㇃	㇃							
héngzhétí 横折提	㇊	㇊							

三、汉字书写练习 *Write characters*

me	3 画 ㇛ 么 么 *a suffix*
么	
zì	6 画 丶 宀 宀 字 字 字 character
字	
duì	5 画 ㇇ 又 又 对 对 correct
对	
yě	3 画 ㇆ 乜 也 also
也	
hǎo	6 画 ㇛ 女 女 好 good
好	

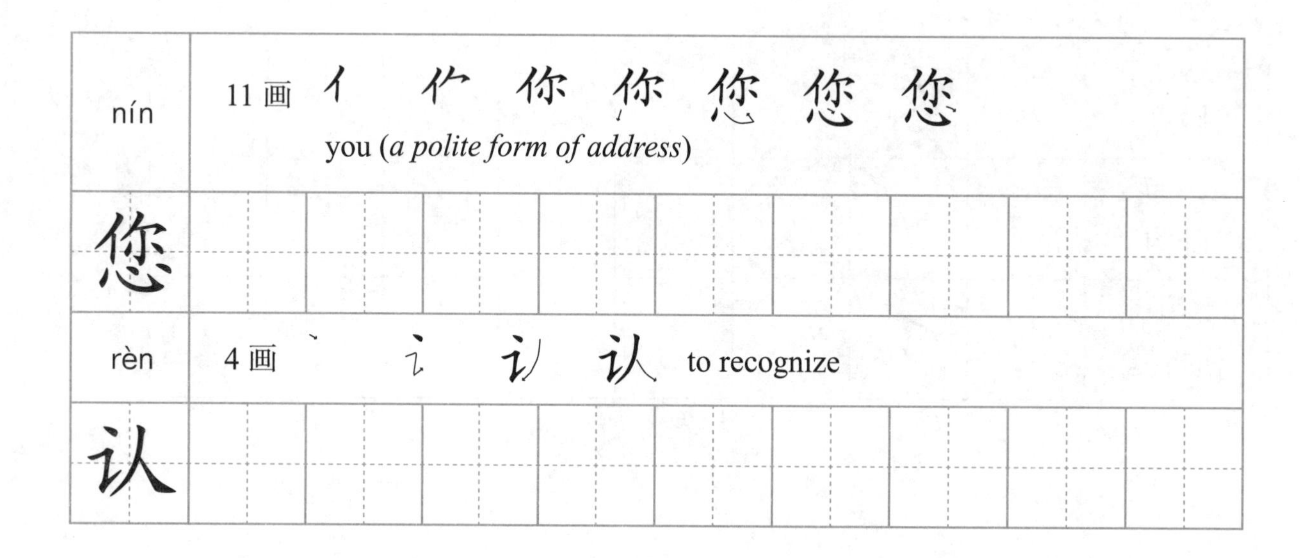

四、实用阅读　*Practical reading*

上　shàng　up　　　下　xià　down　　　英国　Yīngguó　Britain

五、实用练习　*Practical exercises*

1. 看图选择词语或句子　Look at the pictures and choose the words or sentences.

□上　□下

□上　□下

□英国　□美国

□十四　□四十

□李老师，早上好！

□李老师是中国人。

□认识你很高兴。

□您贵姓？

2. 看图判断正误　Look at the pictures and decide whether the descriptions are right (√) or wrong (×).

例如： 美国 ☒

下 

下 □

早上 □

不客气！ 

3. 填写词语或句子 Fill in the blanks with the appropriate words, phrases or sentences.

❶

A：他是哪国人？

B：＿＿＿＿＿＿＿＿＿＿。

❷ A：你姓什么？

B：我姓马。

A：你叫什么名字？

B：＿＿＿＿＿＿＿＿马一明。

❸ A：您贵姓？

B：我＿＿＿＿＿＿高。

A：您叫什么＿＿＿＿＿＿＿＿？

B：我叫高山。

4. 抄写句子并模仿写出自己的句子

Copy the sentence and make a sentence of your own following it.

例句：我姓丁，叫丁高兴，我是英国人，他也是英国人，他叫马丁。

我写的句子：

老师是个中国人
My Teacher Is Chinese

一、朗读并背诵 *Read and recite*

Tā shì Fǎguó rén，míng (zi) jiào Lín Xiǎolín.
她 是 法国 人， 名（字）叫 林 小林。

Tā shì Měiguó rén，míng (zi) jiào Mǎ Dàmín.
他 是 美国 人， 名（字）叫 马 大民。

Wǒ shì Tàiguó rén，míng (zi) jiào Zhū Yúnyún.
我 是 泰国 人， 名（字）叫 朱 云云。

Lǎoshī shì ge Zhōngguó rén，míng (zi) jiào Lǐ Yīmín.
老师 是 个 中国 人， 名（字）叫 李 一民。

名（字） míng (zi) name

叫 jiào to call

二、汉字基本笔画书写 *Write basic strokes*

héngzhégōu 横折钩										
héngzhéwāngōu 横折弯钩										
héngpiěwāngōu 横撇弯钩										
shùzhé 竖折										
shùzhézhégōu 竖折折钩										

héngzhéwān 横折弯	㇍	㇍							
héngpiě 横撇	㇇	㇇							

三、汉字书写练习 *Write characters*

men	5 画 亻 亻 亻 们 *used after a personal noun or a pronoun referring to a person to form a plural*
们	
jǐ	2 画 丿 几 how many, how much
几	
dōu	10 画 一 十 土 耂 者 者 都 all, both
都	
yī	7 画 一 丆 歹 医 医 医 医 doctor, medical science
医	
mǎ	3 画 ㇆ 马 马 horse
马	

méi	7画 丶 冫 氵 氵 沪 沙 没 not
没	
hàn	5画 氵 汉 Han ethnic group, Chinese (language)
汉	

四、实用阅读 *Practical reading*

出口 chūkǒu

入口 rùkǒu

德国 Déguó Germany

五、实用练习 *Practical exercises*

1. 看图选择词语或句子 Look at the pictures and choose the words or sentences.

☐德国 ☐泰国

☐出口 ☐入口

❸

□学生　□职员

❹

□汉语　□法语

❺

□你家有几口人？
□他们都是留学生。

❻

□我学习汉语，你呢？
□你爸爸做什么工作？

2. 填写词语或句子　Fill in the blanks with the appropriate words, phrases or sentences.

❶

____

❷

____

❸

____

❹

____

5

A：你们班有多少个学生？

B：________________。

6

A：您贵姓？

B：__________，我________________。

3. 选择合适的词语填空　Choose the correct words to fill in the blanks.

名字　　是　　老师　　叫

（1）她是法国人，名________林小林。

（2）他________美国人，名叫马大民。

（3）我是泰国人，________叫朱云云。

（4）________是个中国人，名叫李一民。

4. 抄写句子并模仿写出自己的句子

Copy the sentences and make sentences of your own following them.

例句：我和丁高兴是同学，我们一起上课，一起学习汉语。我们班有英国人、美国人、韩国人……我们班有十五个同学。

我写的句子：

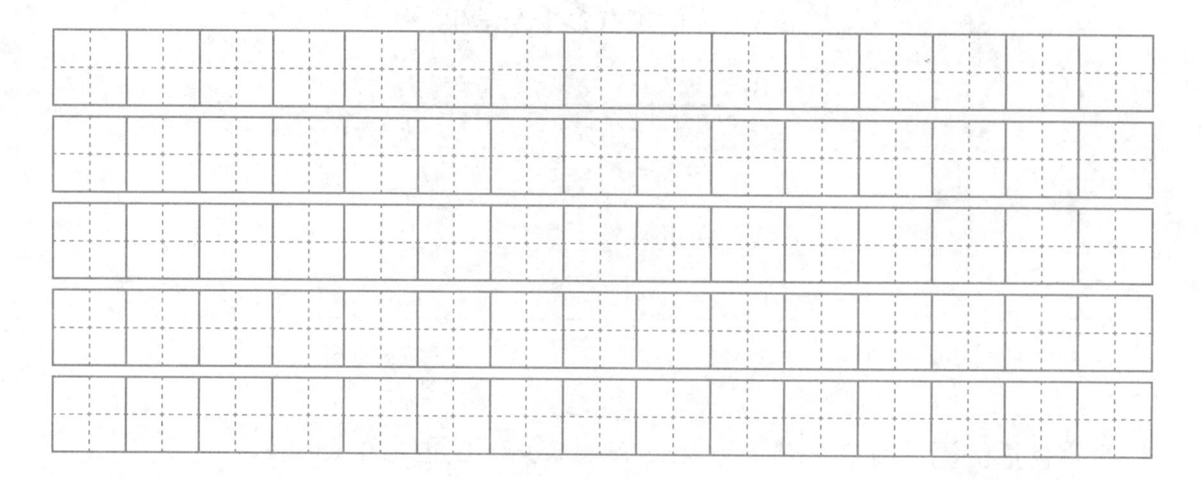

写汉字，读课文

Write Chinese Characters and Read Texts

一、朗读并背诵 *Read and recite*

Gēn nǐ dú, dú Hànzì; gēn nǐ niàn, niàn kèwén,
跟 你 读，读 汉字；跟 你 念， 念 课文，

lǎoshī shì ge Zhōngguó rén.
老师 是 个 中国 人。

Xiě Hànzì, dú kèwén; wǒ xiě Hànzì, wǒ dú kèwén,
写 汉字，读 课文；我 写 汉字， 我 读 课文，

wǒ shì yí ge Fǎguó rén.
我 是 一 个 法国 人。

Nǐ xiě Hànzì, nǐ dú kèwén, qǐngwèn, nǐ shì nǎ guó rén?
你 写 汉字，你 读 课文， 请问， 你 是 哪 国 人？

Wǒ xiě Hànzì, wǒ dú kèwén, wǒ shì yí ge Měiguó rén.
我 写 汉字，我 读 课文， 我 是 一 个 美国 人。

读 dú to read aloud or read silently

汉字 Hànzì Chinese character

念 niàn to read aloud

课文 kèwén text

写 xiě to write

二、汉字基本笔画书写 *Write basic strokes*

héngzhézhépiě 横折折撇	㇋	㇋						
shùtí 竖提	㇙	㇙						
xiégōu 斜钩	㇂	㇂						

héngzhéxiégōu 横折斜钩	㇈	㇈							
héngzhézhézhégōu 横折折折钩	㇋	㇋							

三、汉字书写练习 *Write characters*

zhè	7 画 丶 亠 ナ 文 文 汶 这 this								
这									
fàn	7 画 丿 𠂉 饣 饣 饣 饭 meal								
饭									
qián	10 画 丿 𠂉 𠂉 𠂉 钅 钅 钅 钱 钱 钱 money								
钱									
qì	4 画 丿 𠂉 气 气 gas, air								
气									
chǎng	6 画 土 场 场 场 site, field								
场									

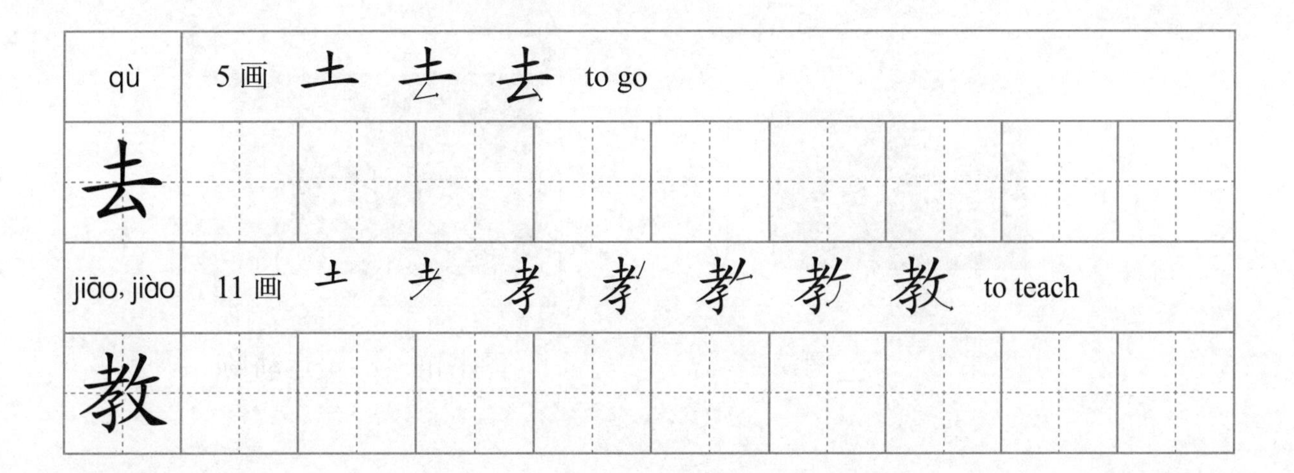

四、实用阅读 *Practical reading*

开 kāi open

关 guān close

推 tuī

拉 lā

五、实用练习 *Practical exercises*

1. 看图选择词语或句子 Look at the pictures and choose the words or sentences.

☐推 ☐拉

❸

□念课文　□写汉字

❹

□图书馆　□运动场

❺

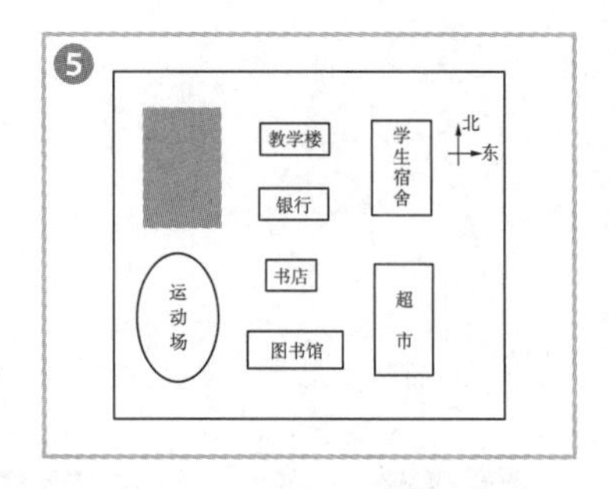

□图书馆北边是书店。
□银行北边是书店。

❻

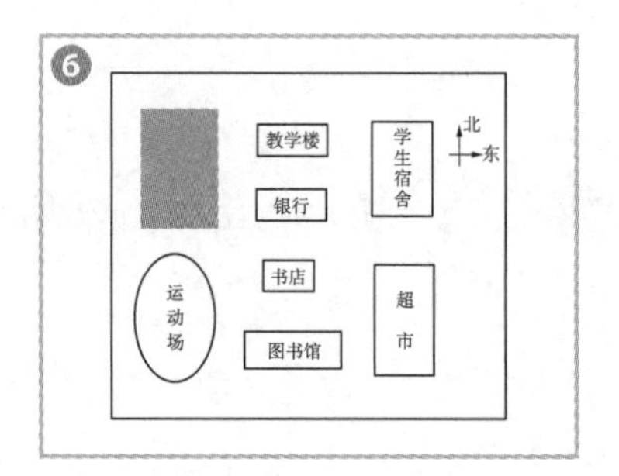

□图书馆西边是超市。
□银行东南边是超市。

2. 填写词语或句子　Fill in the blanks with the appropriate words, phrases or sentences.

❶

____

❷

____

❸

____

❹

____

5

A：______________________？

B：苹果5块钱一斤。

6

A：你知道超市在哪儿吗？

B：______________________。

3. 选择合适的词语填空 Choose the correct words to fill in the blanks.

女老师　　汉字　　课文　　同学　　多少

你知道我们班有________学生吗？我们班有16个________，8个男同学，8个女同学。我们老师是中国人，她姓钱，是个________。我们跟老师读________，写________，跟老师学汉语。

4. 抄写句子并模仿写出自己的句子

Copy the sentences and make sentences of your own following them.

例句：我跟同学一起去商店，我们想买词典。我想买英汉词典，他想买电子词典，我们还想买面包、苹果和香蕉。我不知道商店在哪儿，我同学知道。

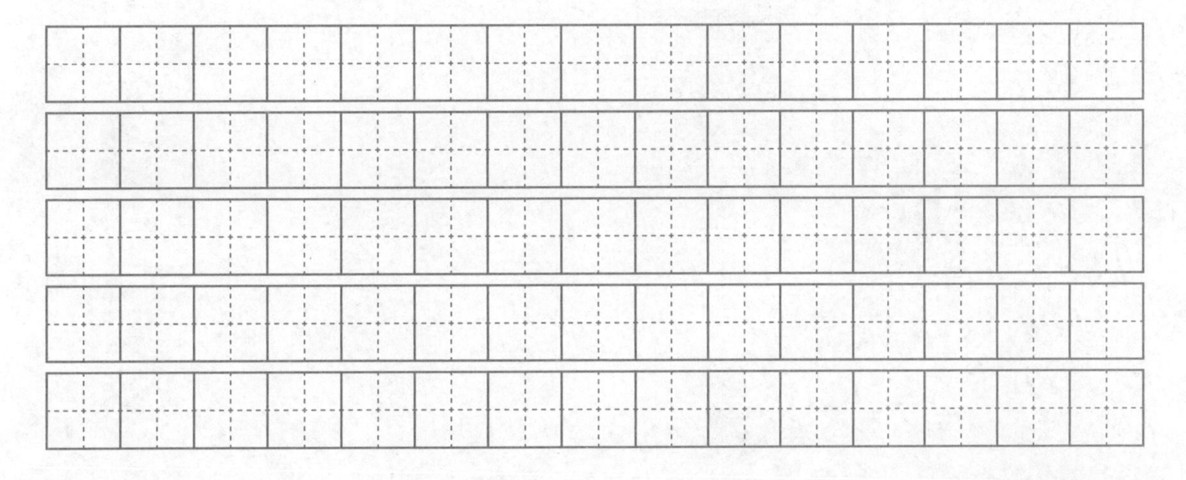

我写的句子：

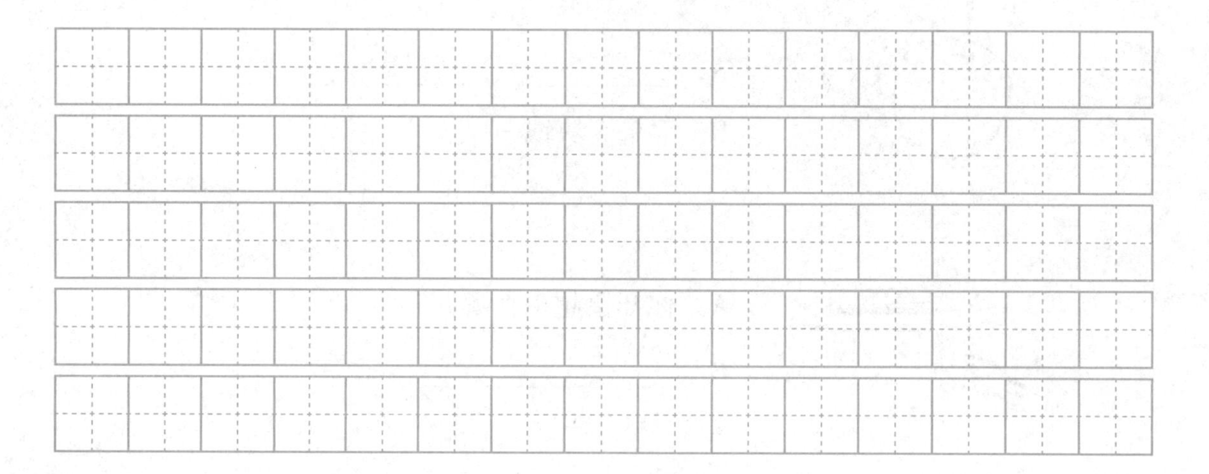

5 认识你很高兴

Nice to Meet You

一、朗读并背诵 *Read and recite*

认识 你，很 高兴。
Rènshi nǐ, hěn gāoxìng.

谢谢你， 明天 见。
Xièxie nǐ, míngtiān jiàn.

念 声母，读 韵母，我们 一起 学 拼音。
Niàn shēngmǔ, dú yùnmǔ, wǒmen yìqǐ xué pīnyīn.

说 汉语，写 汉字，我们 一起 学 中文。
Shuō Hànyǔ, xiě Hànzì, wǒmen yìqǐ xué Zhōngwén.

他 姓 王，我 姓 马，你 姓 什么，叫 什么？
Tā xìng Wáng, wǒ xìng Mǎ, nǐ xìng shénme, jiào shénme?

声母 shēngmǔ initial consonant (of a Chinese syllable)

韵母 yùnmǔ final (of a Chinese syllable)

学 xué to study, to learn

拼音 pīnyīn *pinyin*, Chinese phonetic transcription

二、汉字书写练习 *Write characters*

měi	7 画 ㇒ 𠂉 𠂉 㐃 每 每 每 every, each
每	
qī	12 画 一 十 卄 廿 甘 苷 其 其 其 期 期 期 date, period of time
期	

Character	Pinyin	Strokes	Meaning
祝	zhù	9画	to wish
再	zài	6画	again, once more
乐	lè	5画	happy, joyful
时	shí	7画	time，present
候	hòu	10画	to wait
事	shì	8画	matter, thing

三、实用阅读　*Practical reading*

安全出口　ānquán chūkǒu

禁止吸烟　jìnzhǐ xī yān

营业时间 yíngyè shíjiān business hours

欢迎光临 huānyíng guānglín

四、实用练习 *Practical exercises*

1. 看图选择词语或句子 Look at the pictures and choose the words or sentences.

❶
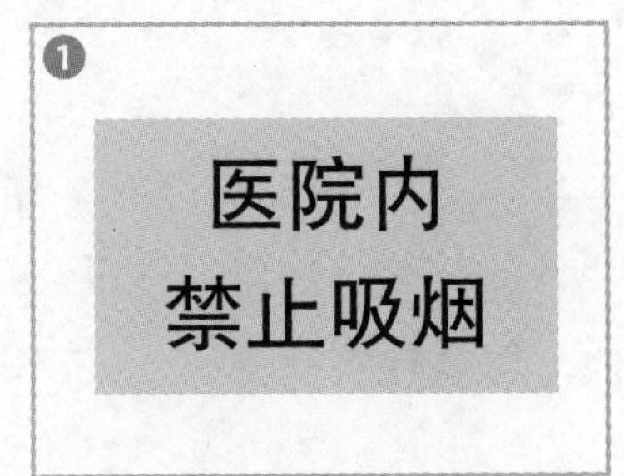

- [ ] 这是安全出口。
- [ ] 这儿禁止吸烟。

❷
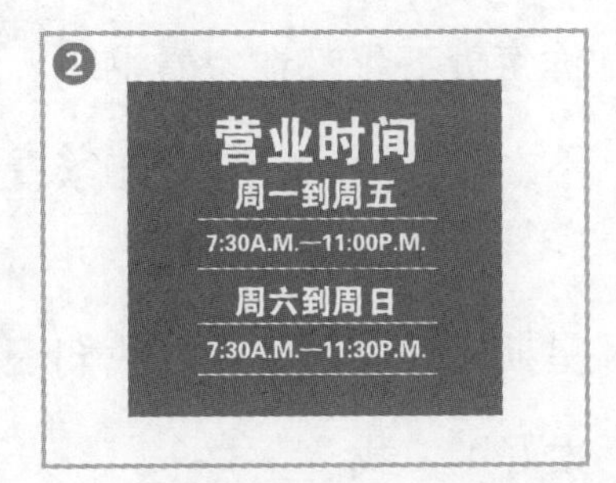

- [ ] 每天都是 7 : 30 开门。
- [ ] 星期四 23 : 30 关门。

❸
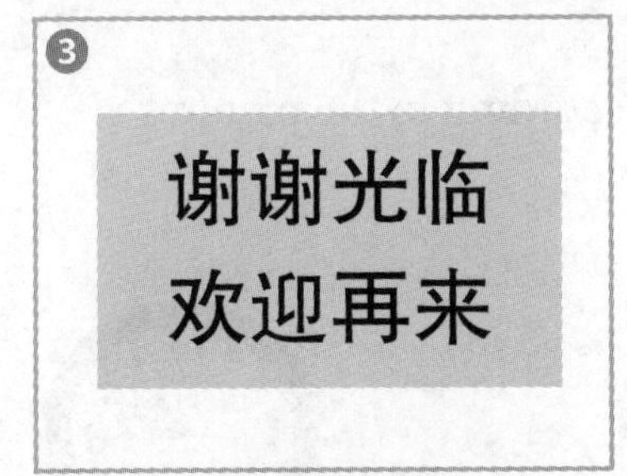

- [ ] 在商店入口
- [ ] 在商店出口

❹

- [ ] 生日快乐！
- [ ] 欢迎光临！

2. 填写词语或句子 Fill in the blanks with the appropriate words, phrases or sentences.

❶

____

❷

星期一	星期二	星期三	星期四	星期五	星期六	星期日
		1	2	3	4	5

____

❸

______你______________!

❹

A：你每天下午都在家看书吗？

B：不，我__________在家看书，__________去运动。

❺

A：星期天你有时间吗？我们一起去看电影，怎么样？

B：太好了，我____________。

五、阅读理解 *Reading comprehension*

1. 根据图片的内容选择句子 Choose the sentences according to the pictures.

A

B

C

D E F

例如：我下午一点没有时间。 （ C ）

（1）这个星期天早上八点，我和朋友见面。 （ ）

（2）爸爸每天晚上都看电视。 （ ）

（3）我们一起吃早饭吧。 （ ）

（4）他今天有事，不在家。 （ ）

（5）对不起，我不知道哪儿有超市。 （ ）

2. 为左面的句子选择合适的回应句 Choose the right answers for the sentences on the left.

例如：（1）星期天上午，你有什么安排？（ A ） A 我想去图书馆看书。

（2）你知道李医生在哪儿吗？ （ ） B 有时候吃，有时候不吃。

（3）前边有中国银行吗？ （ ） C 你看，就在你床上。

（4）我的词典没有了。 （ ） D 我也是。

（5）你每天吃早饭吗？ （ ） E 没有中国银行，有一个北京银行。

（6）我每天晚上洗澡。 （ ） F 他不在这儿，他今天有事。

3. 选择合适的词语填空 Choose the correct words to fill in the blanks.

开始　　然后　　再　　时间

今天星期五，我晚上没有事，我的朋友也有________，我们想一起去看电影。电影八点半________，我们先一起吃晚饭，________去超市，买明天早上吃的面包，然后________去看电影。

4. 抄写短文并模仿写出自己的短文

Copy the following paragraph and write a paragraph of your own following it.

今天是妈妈的生日，祝妈妈生日快乐！

我现在每天上午上课，中午十一点半下课。下午有时候在家看书，有时候去运动。周末常常和朋友见面。我在这里的生活很快乐。

九月十二日　星期三

抄写短文：

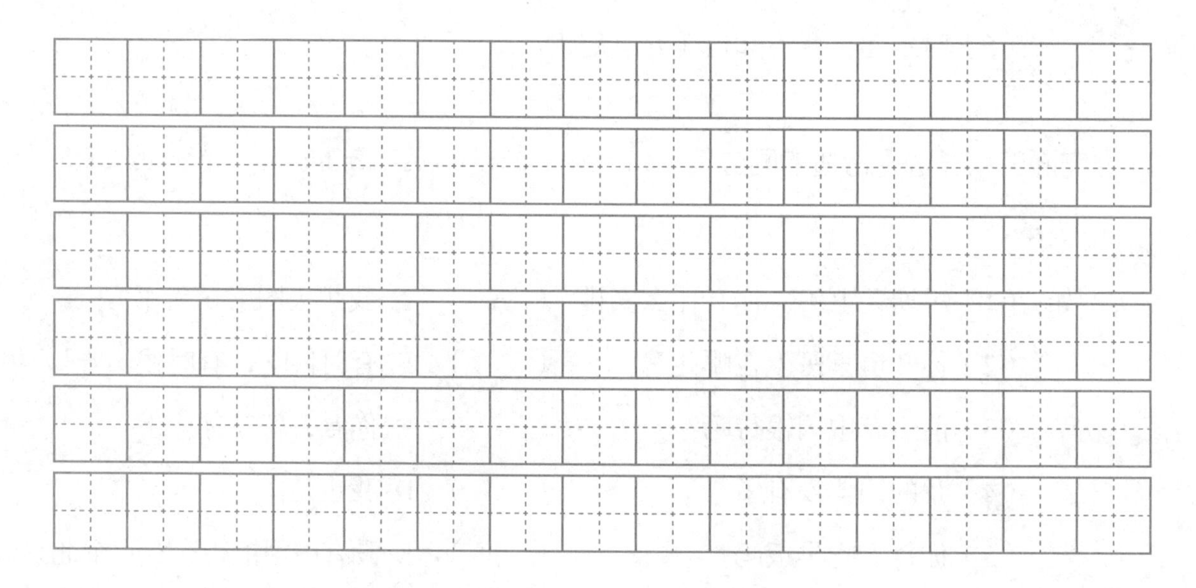

我写的短文：

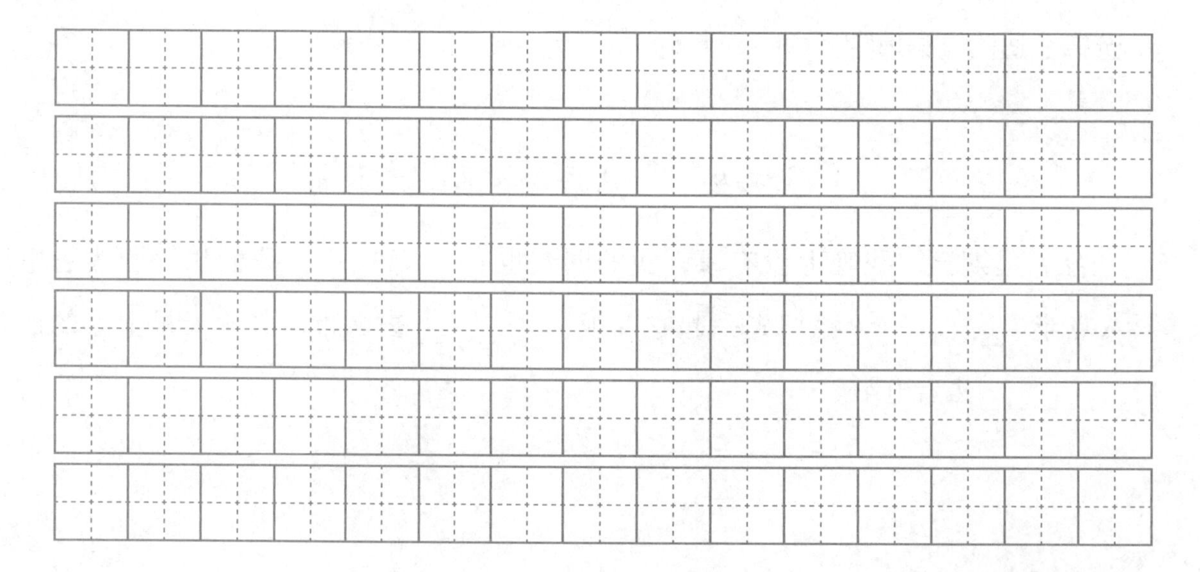

来中国，学汉语

Come to China to Study Chinese

一、朗读并背诵 *Read and recite*

外国 人， 留学生， 来 中国， 学 汉语。
Wàiguó rén, liúxuéshēng, lái Zhōngguó, xué Hànyǔ.

学 汉语，写汉字，念 课文， 唱 四声：
Xué Hànyǔ, xiě Hànzì, niàn kèwén, chàng sìshēng:

妈、麻、马、骂；八、拔、把、爸。
mā、má、mǎ、mà; bā、bá、bǎ、bà.

他叫阿 明，我叫 阿民， 我们 两 个是
Tā jiào Ā Míng, wǒ jiào Ā Mín, wǒmen liǎng ge shì

泰国 人。
Tàiguó rén.

他 叫 李大民，她 叫 朱 小云，他们 两
Tā jiào Lǐ Dàmín, tā jiào Zhū Xiǎoyún, tāmen liǎng

个是 中国 人。
ge shì Zhōngguó rén.

他 叫 什么？ 你 叫 什么？ 你们 两 个 是
Tā jiào shénme? Nǐ jiào shénme? Nǐmen liǎng ge shì

哪国 人？
nǎ guó rén?

外国 wàiguó foreign country

来 lái to come

唱 chàng to sing

麻 má flax

马 mǎ horse

骂 mà to scold

拔 bá to pull out

把 bǎ *used when the object is the recipient of the action*

二、汉字书写练习 *Write characters*

nà	6画 那 that
那	
xīn	13画 新 new
新	
pá	8画 爬 to climb
爬	
máng	6画 忙 busy
忙	
lèi	11画 累 tired
累	
liáo	11画 聊 to chat
聊	
xǐ	12画 喜 like
喜	

lái	7 画 一 ㇐ 𠂉 ... 来 to come
来	

三、实用阅读 *Practical reading*

收银台 shōuyíntái

结账 jiézhàng

售票处 shòupiàochù

问讯处 wènxùnchù

四、实用练习 *Practical exercises*

1. 看图选择词语或句子 Look at the pictures and choose the words or sentences.

□在这儿买票。

□有问题在这儿问。

□买票

□买电子词典

□这个公园太漂亮了！

□这儿有山，有树。

□我们在这儿吃饭吧。

□来，喝点儿茶吧。

2. 填写词语或句子 Fill in the blanks with the appropriate words, phrases or sentences.

❶

____

❷

____

❸

我用一下________，行吗？

❹

A：你这个周末干什么？

B：我想________一下房间，还________去超市买东西。

❺

A：你画的中国画很漂亮。

B：我从2010年开始________中国画。

五、阅读理解 *Reading comprehension*

1. 根据图片的内容选择句子 Choose the sentences according to the pictures.

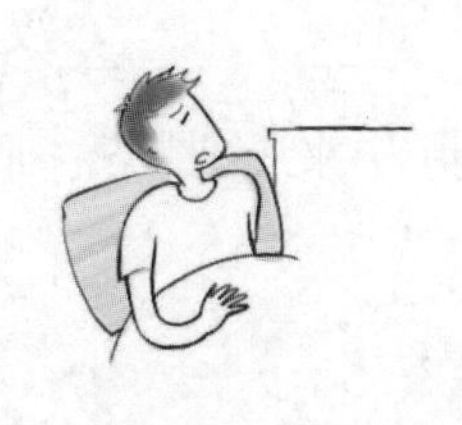

A

B

C

D

星期一	星期二	星期三	星期四	星期五
口语	综合	综合	口语	写字
综合	音乐	听力	综合	听力
	口语		电影	

E

F

例如：我下午一点没有时间。 （ C ）

（1）食堂有很多种饭菜。 （ ）

（2）太累了，我想休息。 （ ）

（3）从星期一到星期五，我们都有课。 （ ）

（4）我们的教室不太大。 （ ）

（5）我小的时候，常常跟爸爸妈妈去爬山。 （ ）

2. 为左面的句子选择合适的回应句 Choose the right answers for the sentences on the left.

例如：（1）星期天上午，你有什么安排？ （ A ） A 我想去图书馆看书。

（2）你找什么？ （ ） B 我们说汉语、写汉字、读课文。

（3）你来中国干什么？ （ ） C 找手机。

（4）你哥哥做什么工作？ （ ） D 我的同屋。

（5）你喜欢和谁聊天儿？ （ ） E 他在一家银行上班。

（6）你们汉语课干什么？ （ ） F 我来中国学汉语。

3. 选择合适的词语填空 Choose the correct words to fill in the blanks.

上班　　喜欢　　请　　一块儿　　学习

我的同屋是中国人，我＿＿＿＿＿做饭，他喜欢收拾屋子，我在中国＿＿＿＿＿汉语，他在公司＿＿＿＿＿，平时我们都很忙。周末，我们常常＿＿＿＿＿朋友来，喝茶、聊天儿、听音乐、一起做饭、一起吃饭，也有时候＿＿＿＿＿去爬山。

4. 抄写短文并模仿写出自己的短文

Copy the following paragraph and write a paragraph of your own following it.

我喜欢学习汉语，喜欢学画中国画，喜欢听音乐，喜欢运动，喜欢爬山，喜欢和朋友聊天儿，还喜欢学做中国菜。

周末，我有时候去公园，有时候爬山，有时候学画画儿，有时候和朋友聊天儿；我也常常看电影，常常去朋友家，常常听音乐，常常去公园。我在这儿每天都很忙，也很高兴。

抄写短文：

我写的短文：

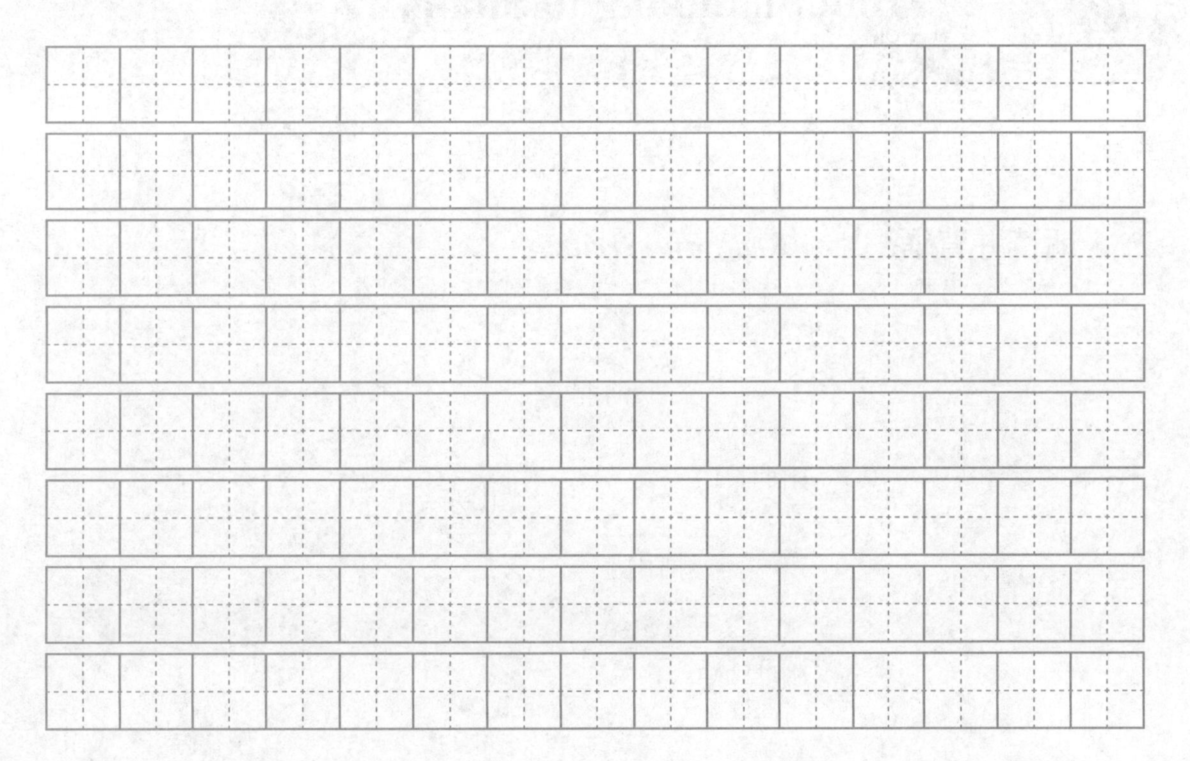

7 从山东到山西

From Shandong to Shanxi

一、朗读并背诵 *Read and recite*

河北

山西

山东

河南

湖北

湖南

广西

广东

喝 水，喝 茶，喝 咖啡，喝 啤酒。
Hē shuǐ, hē chá, hē kāfēi, hē píjiǔ.

爱家人，爱 朋友，爱 生活，爱自然。
Ài jiārén, ài péngyou, ài shēnghuó, ài zìrán.

坐 汽车，坐 火车，坐 高铁，坐飞机。
Zuò qìchē, zuò huǒchē, zuò gāotiě, zuò fēijī.

从 山东 到 山西，从 河南 到 河北。
Cóng Shāndōng dào Shānxī, cóng Hénán dào Héběi.

从 广东 到 广西，从 湖南 到 湖北。
Cóng Guǎngdōng dào Guǎngxī, cóng Húnán dào Húběi.

从 欧洲 到 亚洲，从 英国 到 中国。
Cóng Ōuzhōu dào Yàzhōu, cóng Yīngguó dào Zhōngguó.

啤酒 píjiǔ beer

爱 ài to love

家人 jiārén family

生活 shēnghuó life

自然 zìrán nature

坐 zuò to sit, to travel by

火车 huǒchē train

高铁 gāotiě high-speed rail

飞机 fēijī plane

欧洲 Ōuzhōu Europe

亚洲 Yàzhōu Asia

二、汉字书写练习 *Write characters*

gǎn	13 画 一 厂 厂 后 后 咸 咸 感 to feel
感	
qù	15 画 土 丰 丰 丰 走 趄 趣 interest
趣	
pǎo	12 画 口 ㄗ ㄗ 𧾷 𧾷 𧾷 跑 跑 跑 跑 to run
跑	
bù	7 画 丨 卜 止 止 步 步 步 step
步	
shēn	7 画 ノ 丿 门 门 自 自 身 body
身	
ài	10 画 一 ㇒ ㇒ ㇒ 爫 爫 爫 爫 爱 to love
爱	
chá	9 画 一 十 艹 艹 艾 茶 茶 tea
茶	

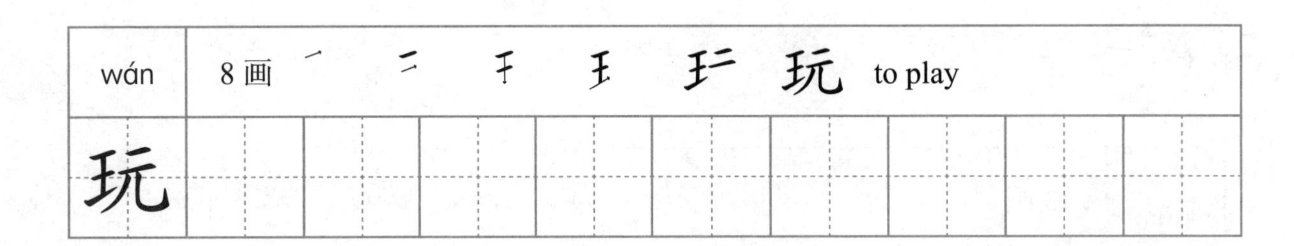

wán	8画 ㇐ 二 干 王 玊 玩 to play
玩	

三、实用阅读 *Practical reading*

灭火器 mièhuǒqì

吸烟区 xī yān qū

电梯 diàntī

失物招领 shīwù zhāolǐng

四、实用练习 *Practical exercises*

1. 看图选择词语或句子 Look at the pictures and choose the words or sentences.

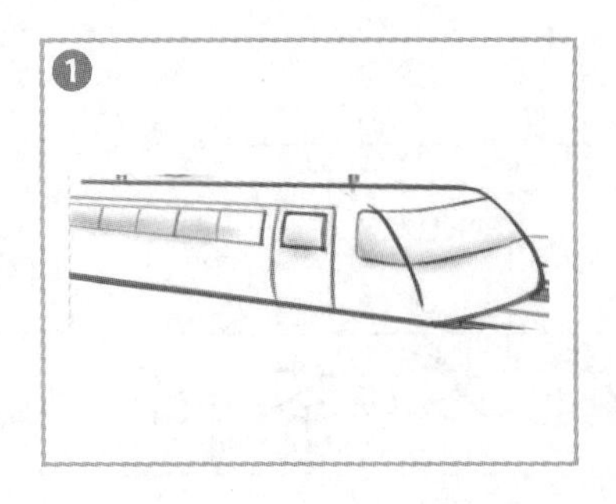

□ 飞机 □ 火车

□ 灭火器 □ 电梯

③

□ 在这儿吸烟。

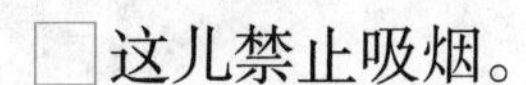

□ 这儿禁止吸烟。

④

□ 我天天喝咖啡。

□ 我最喜欢绿茶。

2. 填写词语或句子 Fill in the blanks with the appropriate words, phrases or sentences.

①

____

②

我每天__________自行车去学校。

③

我对太极拳很__________。

④

A：你昨天__________没来上课？

B：我爸妈来了，昨天我们一起去玩儿了。

⑤

A：明天你__________去还是骑车去？

B：我走路去。

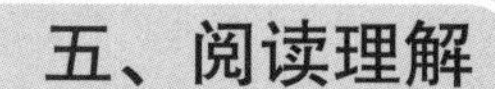

五、阅读理解　*Reading comprehension*

1. 根据图片的内容选择句子　Choose the sentences according to the pictures.

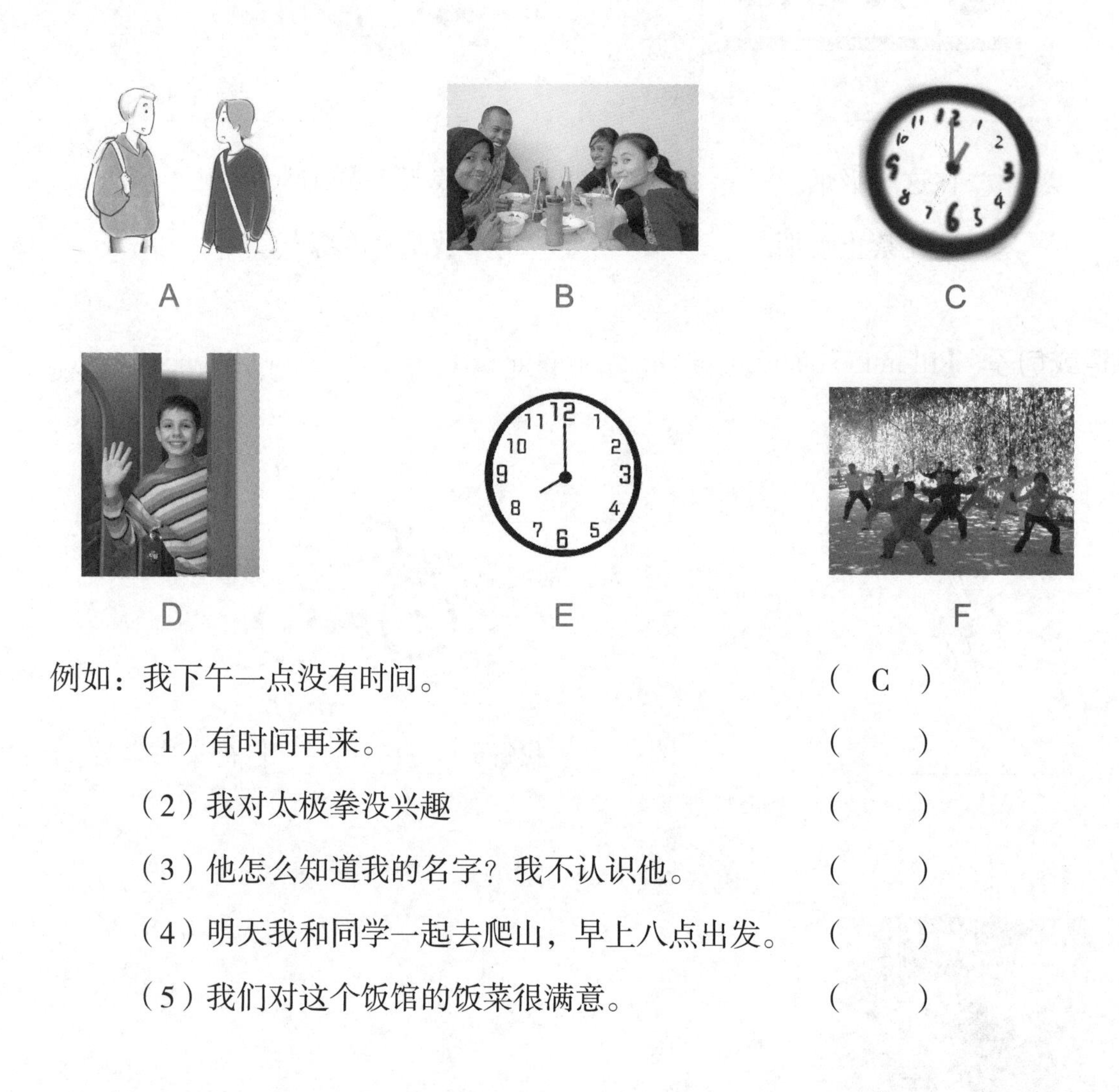

例如：我下午一点没有时间。　(C)

（1）有时间再来。　(　　)

（2）我对太极拳没兴趣　(　　)

（3）他怎么知道我的名字？我不认识他。　(　　)

（4）明天我和同学一起去爬山，早上八点出发。　(　　)

（5）我们对这个饭馆的饭菜很满意。　(　　)

2. 为左面的句子选择合适的回应句　Choose the right answers for the sentences on the left.

例如：（1）星期天上午，你有什么安排？(A)　A 我想去图书馆看书。

（2）昨天晚上你不在？　(　　)　B 我们学校离南山不远，走路去都行。

（3）下星期六你有事吗？　(　　)　C 都行，我都喜欢。

（4）你们学校在哪儿？　(　　)　D 不错，房租也不贵，我很满意。

（5）我这儿有茶，也有咖啡，
你想喝什么？　(　　)　E 我去朋友家了。

（6）你看，这套房子怎么样？（　　）　F 我已经报名了，从下星期六开始，下午去学习书法。

3. 选择合适的词语填空　Choose the correct words to fill in the blanks.

有时候　　一起　　有汉语课　　星期四　　感兴趣

这个学期我很忙，每天上午我们________，从八点上到十一点半。星期一到________下午我要上兴趣课，从两点上到三点半。我的爱好很多，对太极拳、书法、中国画、中国电影都________，我选了星期一的太极拳、星期二的书法、星期三的中国画、星期四的中国电影。星期五下午我________和中国朋友一起喝茶、聊天儿，有时候和同屋________收拾房间。

4. 抄写短文并模仿写出自己的短文

Copy the following paragraph and write a paragraph of your own following it.

我的朋友搬家了，他租的房子不错，房子不太大，房租也不贵。房子离学校不远，他有时候走路来学校，有时候跑步来学校。

他家旁边有超市，有银行，还有饭馆、茶馆，我觉得很方便。他家旁边还有个小公园，公园里有很多树，空气很新鲜，早上很多人在那儿打太极拳，我也想学太极拳。

抄写短文：

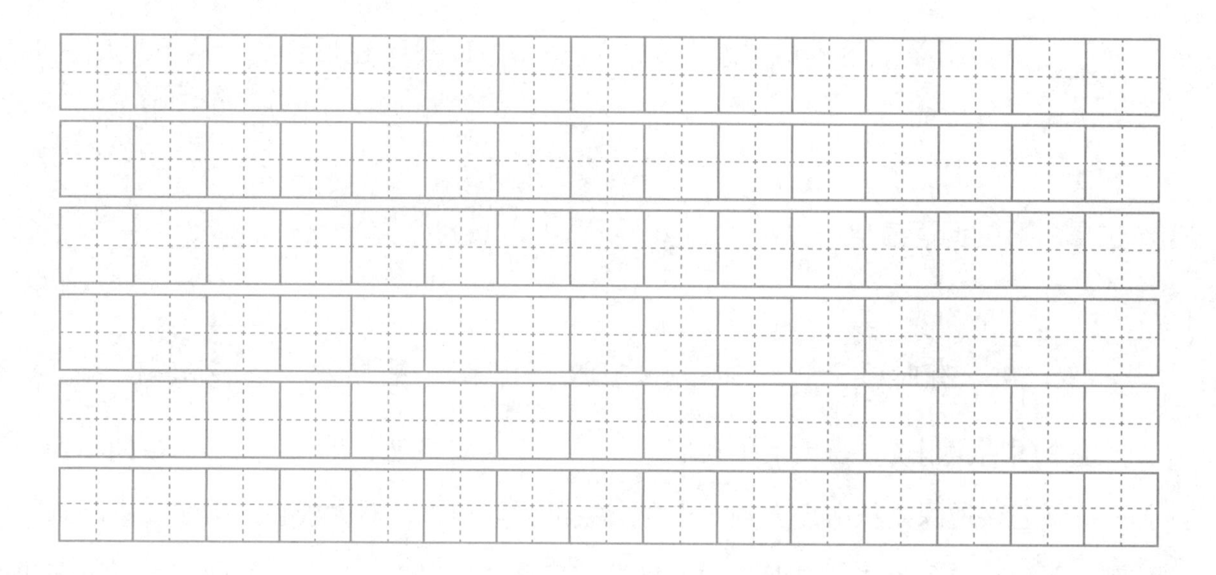

我写的短文：

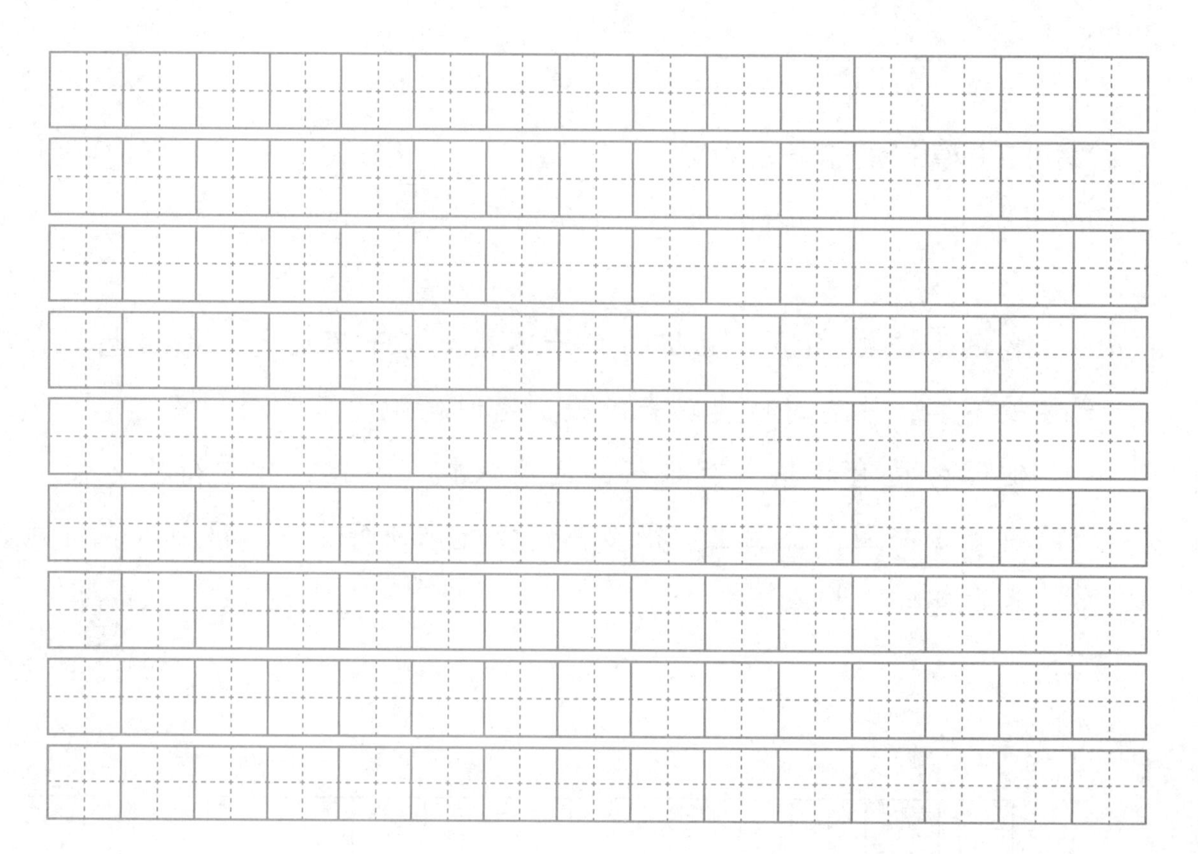

大家都是地球人

We Are All Earth People

一、朗读并背诵 *Read and recite*

山东　人，山西　人，河南人，河北人，他们
Shāndōng rén, Shānxī rén, Hénán rén, Héběi rén, tāmen

都 是 北方 人。
dōu shì běifāng rén.

广东　人，广西　人，湖南人，湖北人，他们
Guǎngdōng rén, Guǎngxī rén, Húnán rén, Húběi rén, tāmen

都 是 南方 人。
dōu shì nánfāng rén.

南方　人，北方　人，他们 都 是　中国　人。
Nánfāng rén, běifāng rén, tāmen dōu shì Zhōngguó rén.

中国　人，日本 人，韩国 人，泰国 人，他们
Zhōngguó rén, Rìběn rén, Hánguó rén, Tàiguó rén, tāmen

都 是 亚洲 人。
dōu shì Yàzhōu rén.

英国　人，法国 人，德国 人，俄罗斯 人，他们
Yīngguó rén, Fǎguó rén, Déguó rén, Éluósī rén, tāmen

都 是 欧洲 人。
dōu shì Ōuzhōu rén.

巴西 人，智利 人，美国 人，加拿大 人，他们 都
Bāxī rén, Zhìlì rén, Měiguó rén, Jiānádà rén, tāmen dōu

是 美洲 人。
shì Měizhōu rén.

北方　běifāng
the northern China

南方　nánfāng
the southern China

俄罗斯　Éluósī
Russia

巴西　Bāxī　Brazil

智利　Zhìlì　Chile

加拿大　Jiānádà
Canada

美洲　Měizhōu
The Americas

南美　Nánměi
South America

北美　Běiměi
North America

地球　dìqiú
the earth

南美 人，北美 人，亚洲 人，欧洲 人，大家 都
Nánměi rén，Běiměi rén，Yàzhōu rén，Ōuzhōu rén，dàjiā dōu

是 地球 人。
shì dìqiú rén.

二、汉字书写练习 *Write characters*

dōng	5 画	winter
冬		
chuān	9 画	to wear, to put on
穿		
yī	6 画	clothes
衣		
shāng	11 画	business, commerce
商		
bìng	10 画	sick
病		
yào	9 画	to want, to need
要		

néng	10 画 厶 㠯 㑒 㑒 㑒 能 can
能	
zhēn	10 画 一 十 冂 冇 冇 有 有 直 真 真 real
真	

三、实用阅读 *Practical reading*

营业中 yíngyè zhōng

to be open, to be in business

休息中 xiūxi zhōng

to be closed, to be in recess

去办事 qù bànshì

to go out for business

马上回来 mǎshàng huílai

to be back soon

四、实用练习 *Practical exercises*

1. 看图选择词语或句子 Look at the pictures and choose the words or sentences.

①

□ 现在没有人。

□ 还没有上班。

②

□ 现在是休息时间。

□ 现在有人工作。

③

□ 冬天

□ 感冒了

④

□ 我开车陪朋友玩儿。

□ 他不喜欢在公司工作。

2. 填写词语或句子 Fill in the blanks with the appropriate words, phrases or sentences.

____

②

她在__________工作。

❸

这件衣服真____________！

❹

A：假期你在这里打工吗？

B：不，我一____________就回家。

❺

A：北方的冬天怎么这么冷啊！

B：我也____________特别冷。

五、阅读理解 *Reading comprehension*

1. 根据图片的内容选择句子 Choose the sentences according to the pictures.

A

B

C

D

E

F

例如：我下午一点没有时间。 （ C ）

（1）她一有钱就买新衣服。 （ ）

（2）我这个星期太忙了，没空儿买水果。 （ ）

（3）我去了一趟书店，买了很多书。 （ ）

（4）这辆车我们用不合适，太小了。 （ ）

（5）假期我也要去旅游。 （ ）

2. 为左面的句子选择合适的回应句 Choose the right answers for the sentences on the left.

例如：（1）星期天上午，你有什么安排？ （ A ） A 我想去图书馆看书。

（2）我用一下您的笔，可以吗？ （ ） B 他病了。

（3）那个商店的东西特别贵。 （ ） C 我也觉得贵。

（4）马大明怎么没来？ （ ） D 茶或者咖啡都行。

（5）你想喝点儿什么？ （ ） E 你真行，太感谢了！

（6）我可以帮你，我知道怎么走。 （ ） F 没问题。

3. 选择合适的词语填空 Choose the correct words to fill in the blanks.

不太厚　　这么冷　　学汉语　　很不一样　　穿

北方的冬天特别冷，一到冬天，大家就要________羽绒服，穿很厚的衣服，感冒的人也特别多，去医院看病的人也多，我不喜欢________的冬天。

南方的冬天不太冷，很多人穿毛衣，在南方，大家穿的羽绒服也________，生病的人也不太多，医院里的人也不多，我喜欢南方的冬天。

放假的时候，我想去南方旅游，我有一个好朋友在南方的城市________，他可以陪我玩儿。他告诉我，中国南方和北方________，我问他："怎么不一样？"他说，我一到那儿就知道了。

4. 抄写短文并模仿写出自己的短文

Copy the following paragraph and write a paragraph of your own following it.

我上大学的时候，每个假期都要打工。有时候在餐厅打工，有时候在书店打工，还有时候在水果店打工。我打工的时候，认识了我的好朋友马大明。他是中国人，他在德国学习。他的汉语很好，他的德语不太好；我的德语特别好，我的汉语不太好。我们互相帮助，他辅导我学习汉语，我辅导他学习德语。

抄写短文：

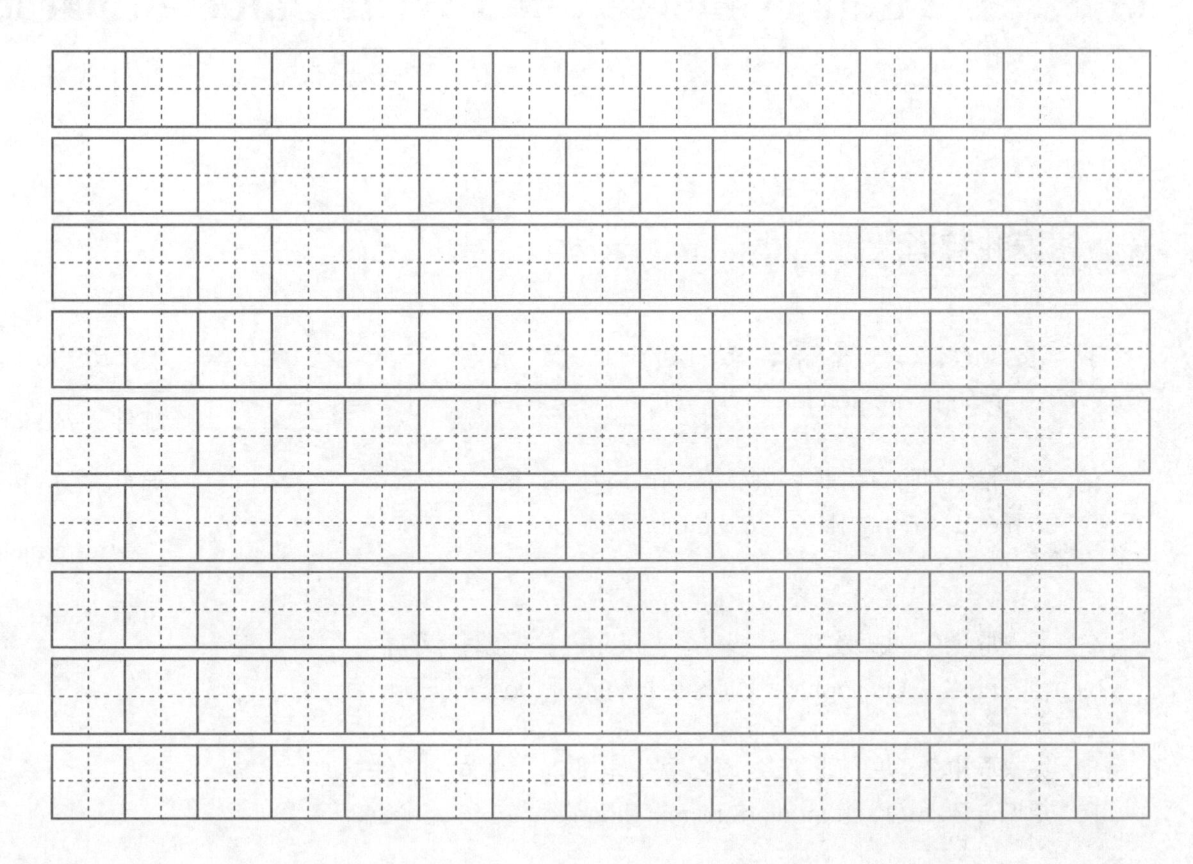

我写的短文：

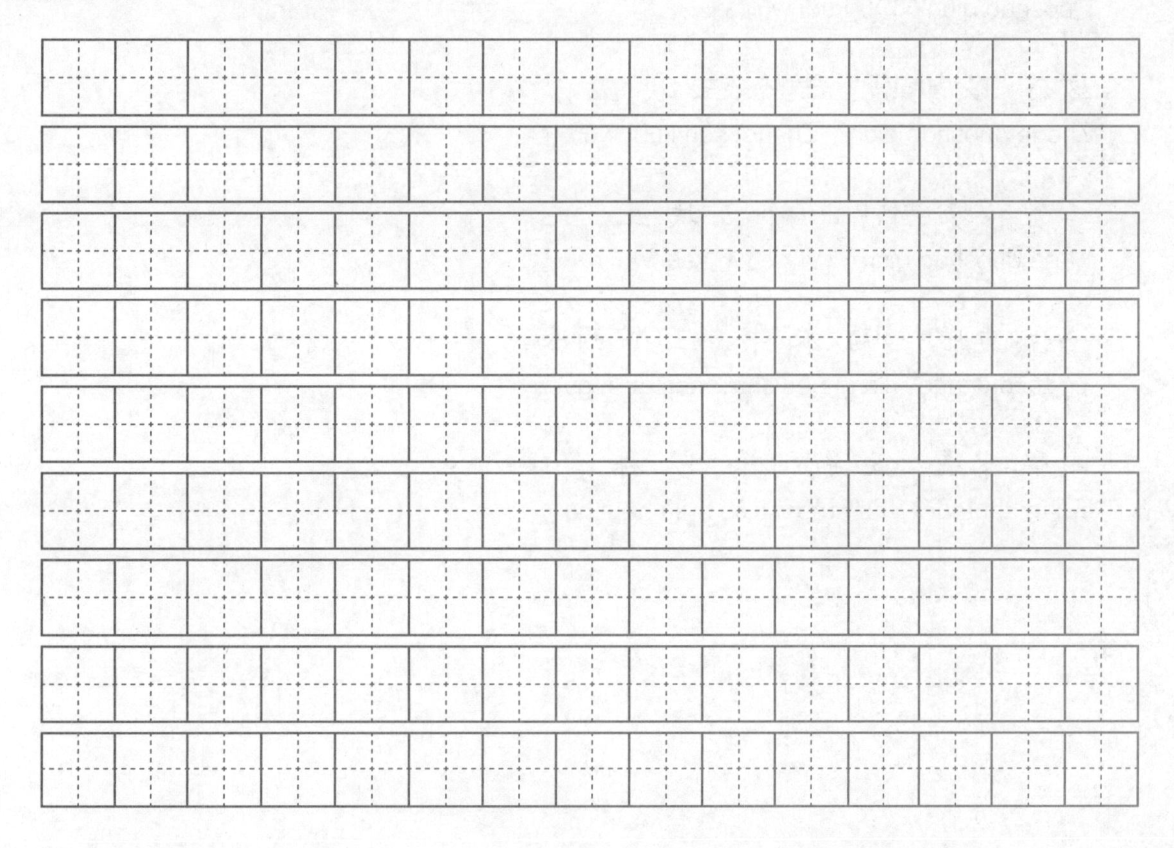

我学汉语，我写汉字

I Study Chinese, and I Write Chinese Characters

一、朗读并背诵 *Read and recite*

我很忙，我很累，我又忙又累。
Wǒ hěn máng, wǒ hěn lèi, wǒ yòu máng yòu lèi.

他不忙，他不累，他不忙也不累。
Tā bù máng, tā bú lèi, tā bù máng yě bú lèi.

你去哪儿？去教室。我学汉语，我写汉字。
Nǐ qù nǎr? Qù jiàoshì. Wǒ xué Hànyǔ, wǒ xiě Hànzì.

他去哪儿？去商店。他买电脑，他发邮件。
Tā qù nǎr? Qù shāngdiàn. Tā mǎi diànnǎo, tā fā yóujiàn.

多少钱？一块五。
Duōshao qián? Yí kuài wǔ.

这个多少钱？这个三块五。
Zhège duōshao qián? Zhège sān kuài wǔ.

一个多少钱？一个五块五。
Yí ge duōshao qián? Yí ge wǔ kuài wǔ.

一台电脑，两本书，三个西瓜，
Yì tái diànnǎo, liǎng běn shū, sān ge xīguā,

四斤水果，五瓶可乐，六杯茶……
sì jīn shuǐguǒ, wǔ píng kělè, liù bēi chá……

发 fā to send
邮件 yóujiàn mail
西瓜 xīguā watermelon
可乐 kělè coke

二、汉字书写练习 *Write characters*

sòng	9 画	丶 丷 兰 关 送 to give, to see sb. off
送		
yīng	7 画	广 广 庐 应 应 should
应		
cān	8 画	厶 厶 乡 叁 叁 参 参 to join
参		
dào	8 画	一 云 至 到 到 to arrive (in, at)
到		
dài	9 画	一 十 卄 卌 丗 带 带 带 to take, to bring
带		
xiě	5 画	冖 冖 写 写 to write
写		

zháo	11 画 丷 䒑 兰 兰 差 差 着 着 着 着 to feel, to suffer
着	
jí	9 画 丿 ⺈ 刍 刍 刍 急 anxious, worried
急	

三、实用阅读 *Practical reading*

卫生清理中　wèishēng qīnglǐ zhōng

cleaning in progress

小心地滑　xiǎoxīn dì huá

Caution! Wet floor!

邮局　yóujú

post office

报警电话　bàojǐng diànhuà

emergency numbers

四、实用练习 *Practical exercises*

1. 看图选择词语或句子 Look at the pictures and choose the words or sentences.

❶
□这儿是邮局。
□这儿是银行。

❷
□火警
□匪警

❸
□可乐
□啤酒

❹
□这是我家的照片。
□你参加婚礼了吗？

2. 填写词语或句子 Fill in the blanks with the appropriate words, phrases or sentences.

❶ ________

❷ 我________喝葡萄酒。

❸

包饺子不__________学。

❹

A：这么多人，真__________！

B：和我们一起聊天儿吧。

❺

A：你的汉语__________真快！

B：我也觉得我的口语和听力进步很大。

五、阅读理解 *Reading comprehension*

1. 根据图片的内容选择句子 Choose the sentences according to the pictures.

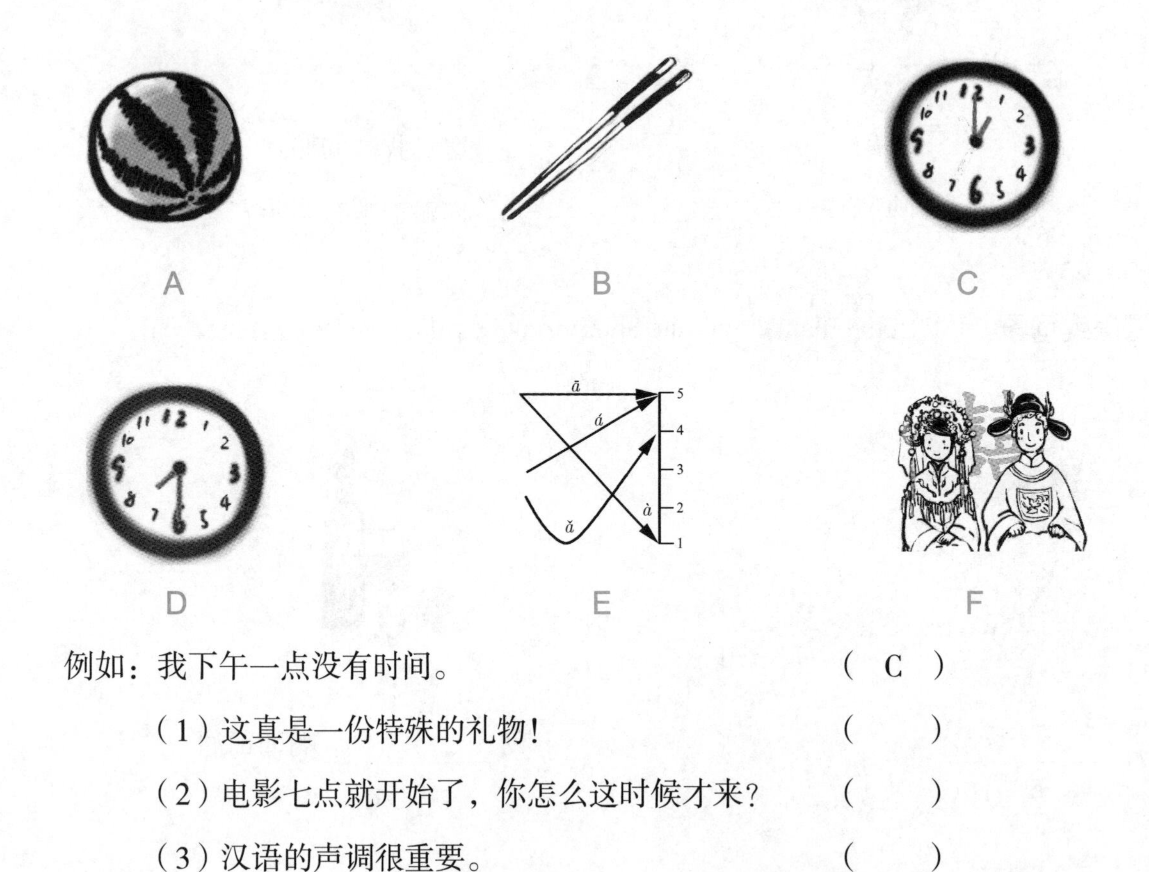

例如：我下午一点没有时间。 （ C ）

（1）这真是一份特殊的礼物！ （ ）

（2）电影七点就开始了，你怎么这时候才来？ （ ）

（3）汉语的声调很重要。 （ ）

（4）还是西瓜好吃。（　　）

（5）这是他们的结婚照片。（　　）

2. 为左面的句子选择合适的回应句　Choose the right answers for the sentences on the left.

例如：（1）星期天上午，你有什么安排？（ A ）　A 我想去图书馆看书。

（2）这么漂亮的礼物，是给我的吗？（　　）　B 我教你包吧。

（3）我的自行车怎么没有了？（　　）　C 我也这么觉得。

（4）你最近怎么样？（　　）　D 当然。

（5）这照片真有意思！（　　）　E 别着急，我和你一起找。

（6）饺子真好吃！（　　）　F 不错呀。

3. 选择合适的词语填空　Choose the correct words to fill in the blanks.

份　辆　门　口　个　本　支　种　件　部

（1）你家有几________人？你有几________车？这学期你有几________课？

（2）我有一________电子词典，我有两________书，我有一________手机，还有五________笔。

（3）我买了三________水果，买了两________衣服，还想送朋友一________礼物。

4. 抄写短文并模仿写出自己的短文

Copy the following paragraph and write a paragraph of your own following it.

现在我在中国学习汉语，我们学校在北京，我们班有15个同学，我们老师是中国人。我们班一共有三位老师，一位男老师，两位女老师。我们一共有四门课，我最喜欢听力课和口语课。老师说，学汉语最重要的是发音和声调，写汉字也很重要。我觉得写汉字很有意思，我喜欢写汉字，我觉得写汉字不难。我觉得我的汉语进步很快。

我们学校很大，学校里有银行，有商店，有图书馆，还有校医院，特别方便。

抄写短文：

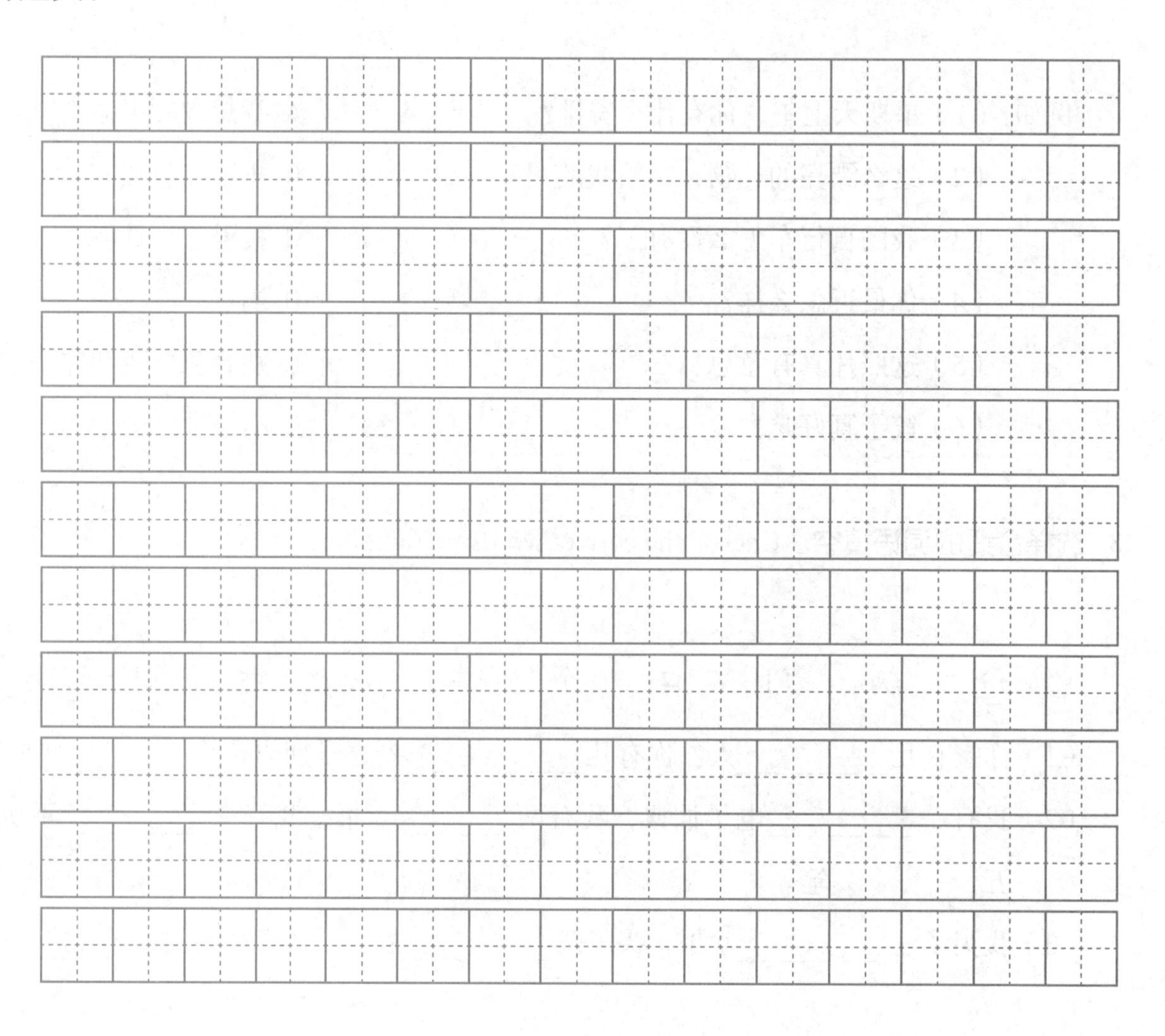

我写的短文：

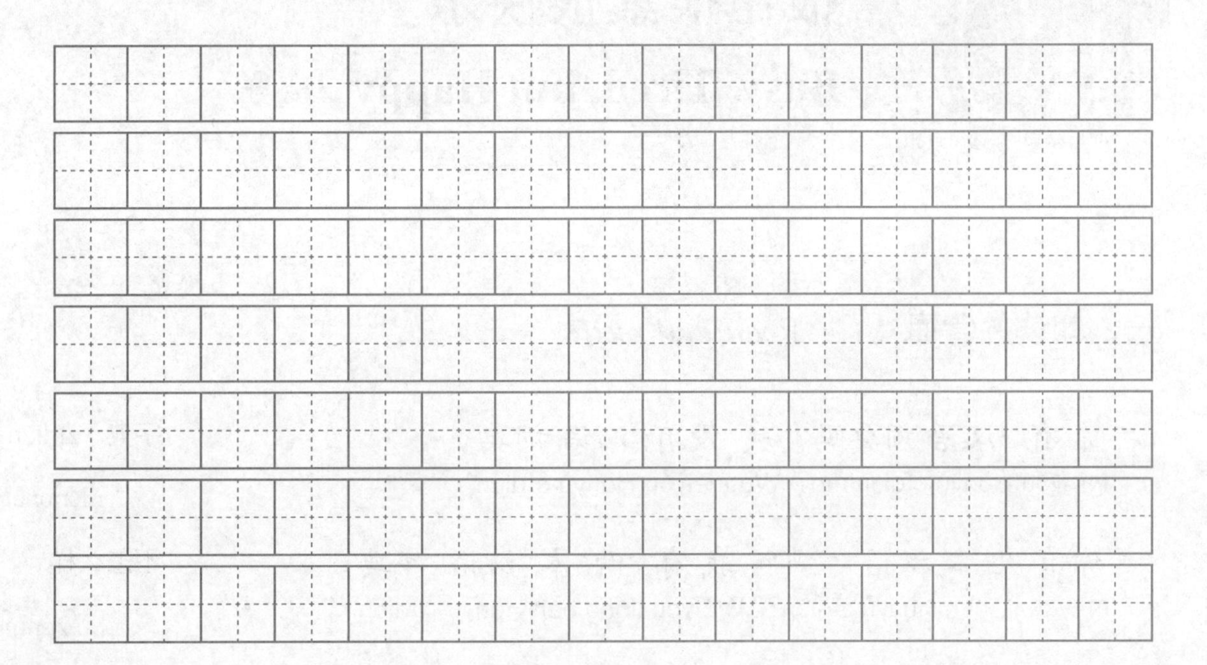

10 很忙很累很快乐

Busy, Tired, but Happy

一、朗读并背诵 *Read and recite*

你有 汉语词典吗？我 没有 汉语词典。
Nǐ yǒu Hànyǔ cídiǎn ma? Wǒ méiyǒu Hànyǔ cídiǎn.

你有几本汉语字典？我有 两 本 汉语 字典。
Nǐ yǒu jǐ běn Hànyǔ zìdiǎn? Wǒ yǒu liǎng běn Hànyǔ zìdiǎn.

有 问题吗？没 问题。
Yǒu wèntí ma? Méi wèntí.

你有 什么 问题？我 没 什么 问题。
Nǐ yǒu shénme wèntí? Wǒ méi shénme wèntí.

怎么样？ 什么 怎么样？
Zěnmeyàng? Shénme zěnmeyàng?

工作 怎么样？ 工作 不 怎么样。
Gōngzuò zěnmeyàng? Gōngzuò bù zěnmeyàng.

你 忙 吗？我 不太 忙。
Nǐ máng ma? Wǒ bú tài máng.

我 很 忙，我 很 累；我 忙 我 累 我 快乐。
Wǒ hěn máng, wǒ hěn lèi; wǒ máng wǒ lèi wǒ kuàilè.

字典 zìdiǎn
dictionary

不怎么样
bù zěnmeyàng
not very good

二、汉字书写练习 *Write characters*

Character	Pinyin	Strokes	Meaning
最	zuì	12 画	(the) most
会	huì	6 画	can, to be able to
费	fèi	9 画	fee
为	wèi	4 画	for
卡	kǎ	5 画	card
戴	dài	17 画	to wear, to put on
手	shǒu	4 画	hand

yì	8画　日　日　月　易　易　easy									
易										

三、实用阅读　*Practical reading*

中餐　zhōngcān

急救　jíjiù

非饮用水　fēi yǐnyòngshuǐ

饮用水　yǐnyòngshuǐ

四、实用练习　*Practical exercises*

1. 看图选择词语或句子　Look at the pictures and choose the words or sentences.

①
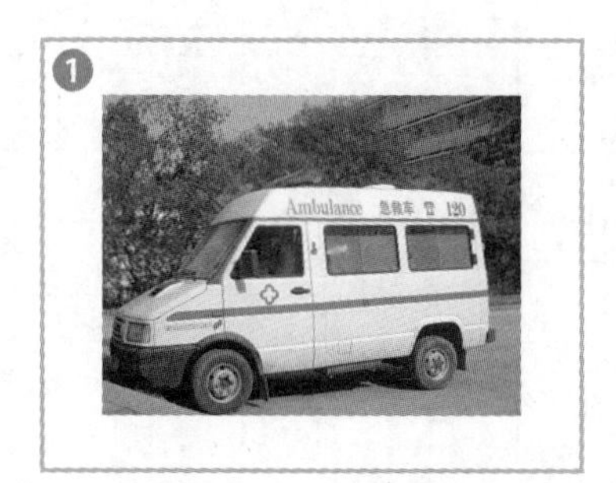

□ 汽车
□ 急救车

②

□ 能喝的水
□ 不能喝的水

❸

❹

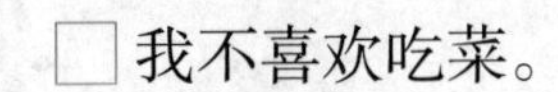

☐ 我不喜欢吃菜。

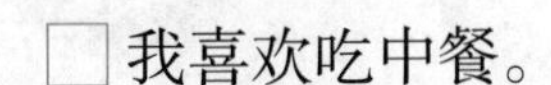

☐ 我喜欢吃中餐。

☐ 这本书我又看了一遍。

☐ 太贵，我只好不买了。

2. 填写词语或句子 Fill in the blanks with the appropriate words, phrases or sentences.

❶

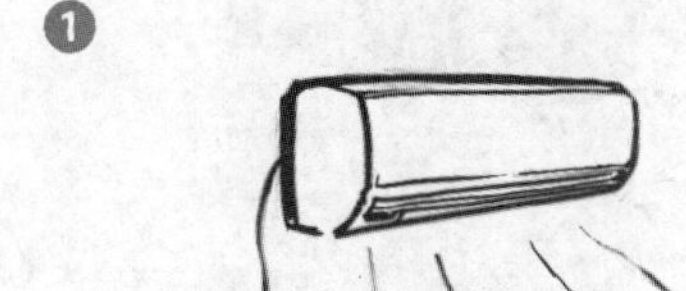

____

❷

有时间__________打电话。

❸

我__________开个账户。

❹

A：你学__________中国画了？

B：我学半年了。

❺

A：你还没给我发邮件？

B：我的电脑坏了，到现在还__________，还没发。

五、阅读理解 *Reading comprehension*

1. 根据图片的内容选择句子 Choose the sentences according to the pictures.

A　　B　　C

D　　E　　F

例如：我下午一点没有时间。　　(C)

(1) 我最少得有五张卡。　　(　　)

(2) 昨天你怎么一直都不在家？　　(　　)

(3) 我忘了戴帽子。　　(　　)

(4) 送给你一本书。　　(　　)

(5) 圣诞节你准备给妈妈什么礼物？　　(　　)

2. 为左面的句子选择合适的回应句 Choose the right answers for the sentences on the left.

例如：(1) 星期天上午，你有什么安排？ (A) A 我想去图书馆看书。

(2) 你的房间怎么这么冷啊？ (　　) B 什么网站？告诉我，我也试试。

(3) 还是用卡方便。 (　　) C 呀，我忘了。

(4) 我觉得这个网站特别好，我喜欢在那儿买东西。 (　　) D 对，还是排队好。

(5) 请大家排好队。 (　　) E 暖气坏一个星期了，还没修好。

(6) 你为什么还不交费呀？ (　　) F 我不这么认为，我这张卡就不好用。

3. 判断句子正误 Decide whether the following sentences are true（√）or false（×）.

例如：现在是 11 点，他 7 点半开始上网。

★ 他已经上了 4 个小时的网。（ × ）

这个公园的风景真不怎么样。

★ 这个公园不漂亮。（ √ ）

（1）我现在有点儿重要的事，一会儿完了我就去你那儿。

★ 说话人已经去他那儿了。（ ）

（2）那书在我那儿一年了，我看完忘了还了，真对不起！明天我给你带来吧。

★ 说话人想明天还书。（ ）

（3）张一然，这是我送你的花儿，想你生日那天送给你，后天我有事，只好今天给你了。

★ 今天是张一然的生日。（ ）

（4）他每天早上起床以后第一件事就是看新闻。

★ 他早上不看新闻。（ ）

（5）我特别喜欢那个电影，跟你们看完以后，我一个人又看了三遍。

★ 那个电影说话人一共看了四遍。（ ）

4. 抄写短文并模仿写出自己的短文

Copy the following paragraph and write a paragraph of your own following it.

上次我看见马大明的时候是两年以前，我在马大明那儿看见一本书，书的内容是在中国怎么旅游。我看完那本书，对中国有了兴趣，后来就开始学习汉语。今年 9 月，我到了中国，我感兴趣的东西更多了。现在我学汉语，学太极拳，学中国画，我还有了很多中国朋友。我常常和朋友打电话，在网上聊天儿，一起喝茶，一起去玩儿。我有了难办的事情，中国朋友一定会帮忙。我每天都很快乐。

抄写短文：

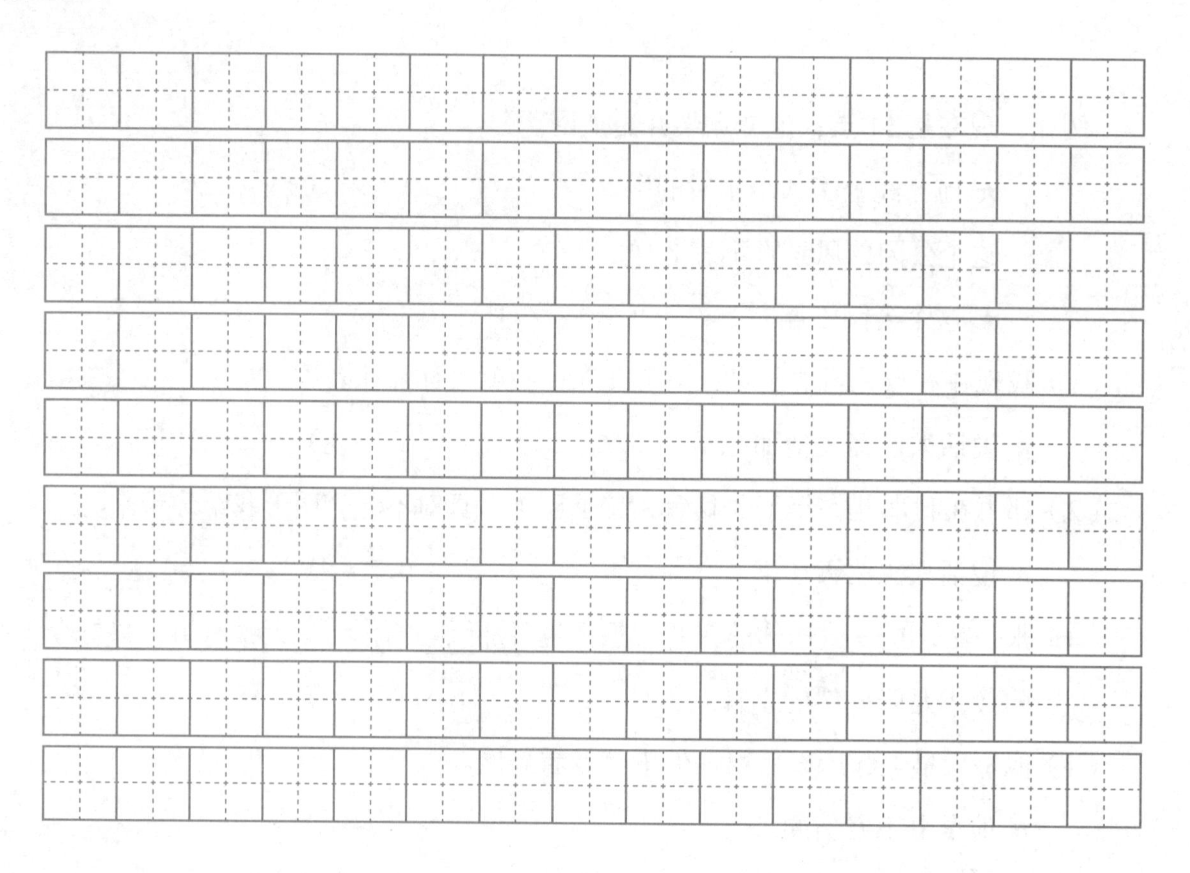

我写的短文：

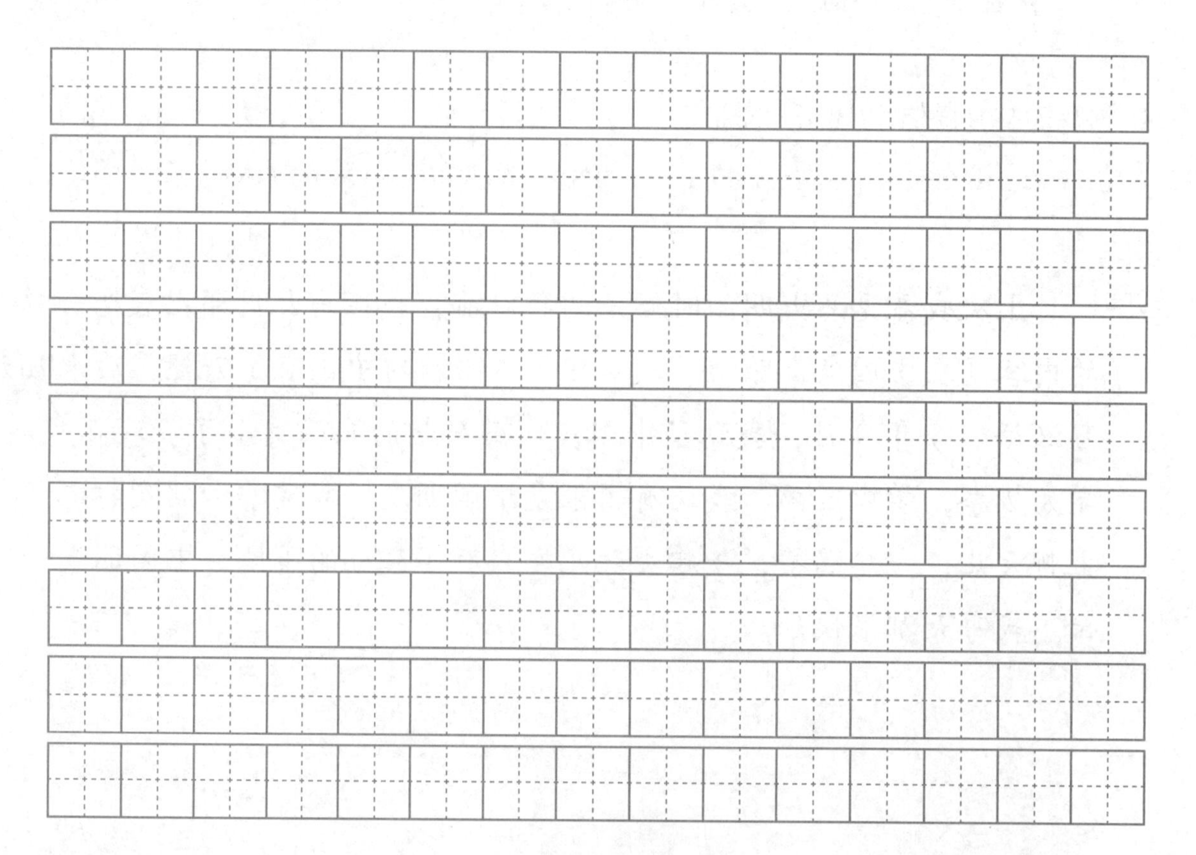

11 我喜欢吃饺子

I Like Eating Dumplings

一、朗读并背诵 *Read and recite*

饺子、杯子、桌子，我 喜欢 饺子。
Jiǎozi、 bēizi、 zhuōzi， wǒ xǐhuan jiǎozi.

花儿、门儿、玩儿，我 喜欢 玩儿。
Huār、 ménr、 wánr， wǒ xǐhuan wánr.

吃 饺子，包 饺子，饺子 馅儿，饺子皮儿。
Chī jiǎozi， bāo jiǎozi， jiǎozi xiànr， jiǎozi pír.

自己 玩儿，一起 玩儿，玩儿 什么？ 怎么 玩儿？
Zìjǐ wánr， yìqǐ wánr， wánr shénme? Zěnme wánr?

我 有 房子，房子 不 大。
Wǒ yǒu fángzi，fángzi bú dà.

我 有 车子，车子 很 小。
Wǒ yǒu chēzi， chēzi hěn xiǎo.

我 有 杯子，杯子 里 没 酒。
Wǒ yǒu bēizi， bēizi li méi jiǔ.

我 喜欢 花儿，我 没 钱 买。
Wǒ xǐhuan huār， wǒ méi qián mǎi.

我 喜欢 玩儿，我 没 时间。
Wǒ xǐhuan wánr， wǒ méi shíjiān.

杯子 bēizi cup, glass

馅儿 xiànr stuffing

皮儿 pír (flour) wrapper

二、汉字书写练习 *Write characters*

jīng	8 画 𠃋 纟 纟 纟 经 经 经 经 to pass through, to experience
经	
xiē	8 画 丨 ⺊ 卜 止 此 些 some
些	
bǐ	4 画 一 上 比 to compare
比	
zuò	7 画 人 从 坐 to sit
坐	
shū	12 画 丿 人 仒 舍 舍 舍 舍 舒 easy, leisurely
舒	
mǎn	13 画 氵 氵 氵 氵 满 满 满 full; to satisfy
满	
yì	13 画 立 音 意 meaning, idea
意	

guàn	11 画 忄 忄 忄 惯 惯 惯 habit
惯	

三、实用阅读 *Practical reading*

保质期 bǎozhìqī
shelf life, guarantee period

生产日期 shēngchǎn rìqī
date of manufacture

有效期 yǒuxiàoqī
period of validity

有效期至 yǒuxiàoqī zhì
date of expiry

四、实用练习 *Practical exercises*

1. 看图选择词语或句子 Look at the pictures and choose the words or sentences.

❶

□生产日期是 2012 年 7 月 15 日。
□保质期到 2012 年 7 月 15 日。

❷

□有效期是 20110701。
□有效期到 2013 年 6 月。

❸

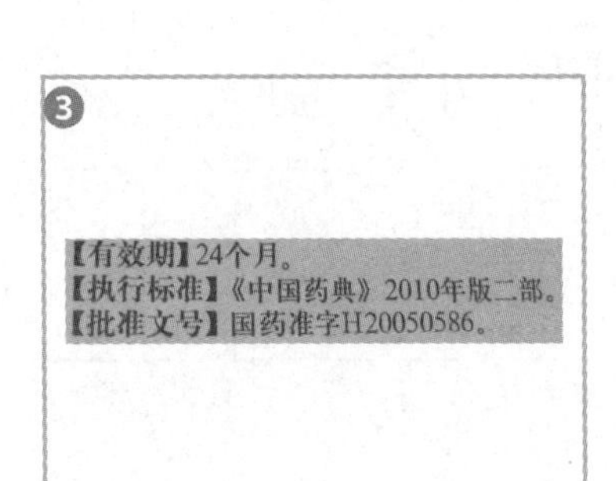

☐ 有效期是2010年。

☐ 有效期是两年。

❹

☐ 别的方法也能学习汉语。

☐ 我今天又累又不舒服，不想看书。

2. 填写词语或句子 Fill in the blanks with the appropriate words, phrases or sentences.

❶

____

❷

他是个______________。

❸

不能______________放在这儿，这是路。

❹

A：这家饭馆怎么样？

B：又__________又__________，我不喜欢。

❺

A：书我__________啦？

B：拿走吧，看完再还给我，别着急。

五、阅读理解 *Reading comprehension*

1. 根据图片的内容选择句子 Choose the sentences according to the pictures.

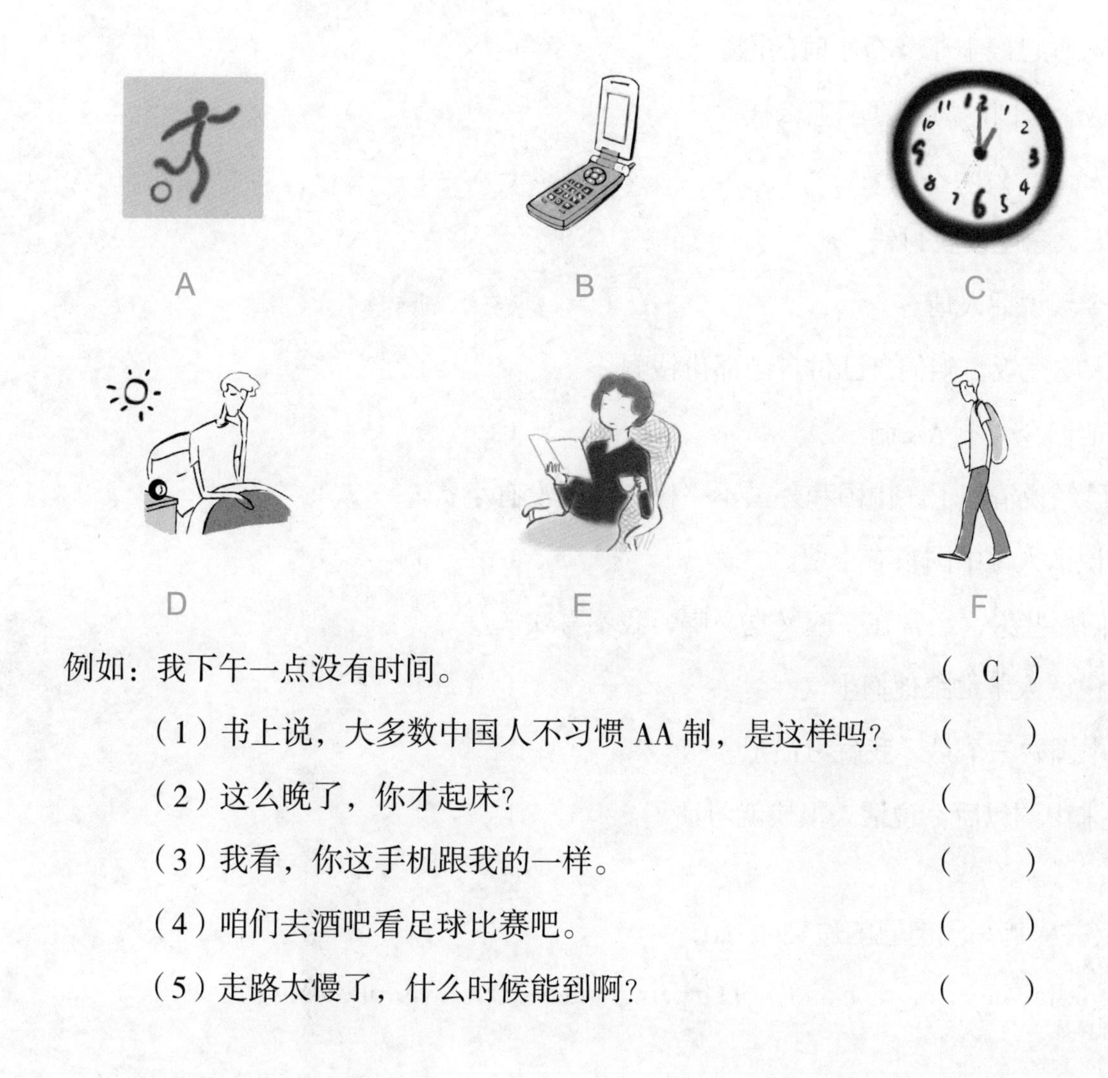

例如：我下午一点没有时间。 （ C ）

（1）书上说，大多数中国人不习惯 AA 制，是这样吗？ （ ）

（2）这么晚了，你才起床？ （ ）

（3）我看，你这手机跟我的一样。 （ ）

（4）咱们去酒吧看足球比赛吧。 （ ）

（5）走路太慢了，什么时候能到啊？ （ ）

2. 为左面的句子选择合适的回应句 Choose the right answers for the sentences on the left.

例如：（1）星期天上午，你有什么安排？ （ A ） A 我想去图书馆看书。

（2）你那么喜欢看球，真成球迷了。（ ） B 我昨天没睡，那电视节目太有意思了。

（3）你昨天没睡好吧？ （ ） C 当然愿意了。

（4）谁还有好主意，说说。 （ ） D 男的都喜欢吧。

（5）所有的银行都不可能八点开门。（ ） E 是啊，太早了。

（6）你愿意跟我走吗？ （ ） F 我有一个。

3. 判断句子正误 Decide whether the following sentences are true（√）or false（×）.

例如：现在是11点，他7点半开始上网。

★ 他已经上了4个小时的网。（ × ）

这个公园的风景真不怎么样。

★ 这个公园不漂亮。（ √ ）

（1）今天大家吃饭我付钱。

★ 今天说话人请客。（　　）

（2）今天吃完饭，咱们自己付自己那份钱啊。

★ 他们今天不AA制。（　　）

（3）我已经说清楚了，中国和外国不一样，中国没有小费。

★ 说话人说中国没有小费。（　　）

（4）他们那些人，经常在一起又吃又喝，我不喜欢。

★ 说话人常常跟他们生气。（　　）

（5）来中国两三个月，我就习惯了。

★ 来中国以后，说话人很快就习惯了。（　　）

4. 抄写短文并模仿写出自己的短文

Copy the following paragraph and write a paragraph of your own following it.

中国有很多事情和外国不一样：很多中国人早上五六点就起床；中国人喜欢吃热饭热菜，喝水也要喝热的；中国人一起吃饭常常是大家吃完饭，一个人付钱，他们叫请客。有一次，老师请我们七八个人吃饭，我觉得那么多人吃饭，老师付了很多钱。在中国，饭馆、宾馆、酒吧……都不用付小费，我也觉得很新鲜。还有，中国的商店晚上关门都很晚，周末也不休息。

到中国以后，我很快就习惯了这里。

抄写短文：

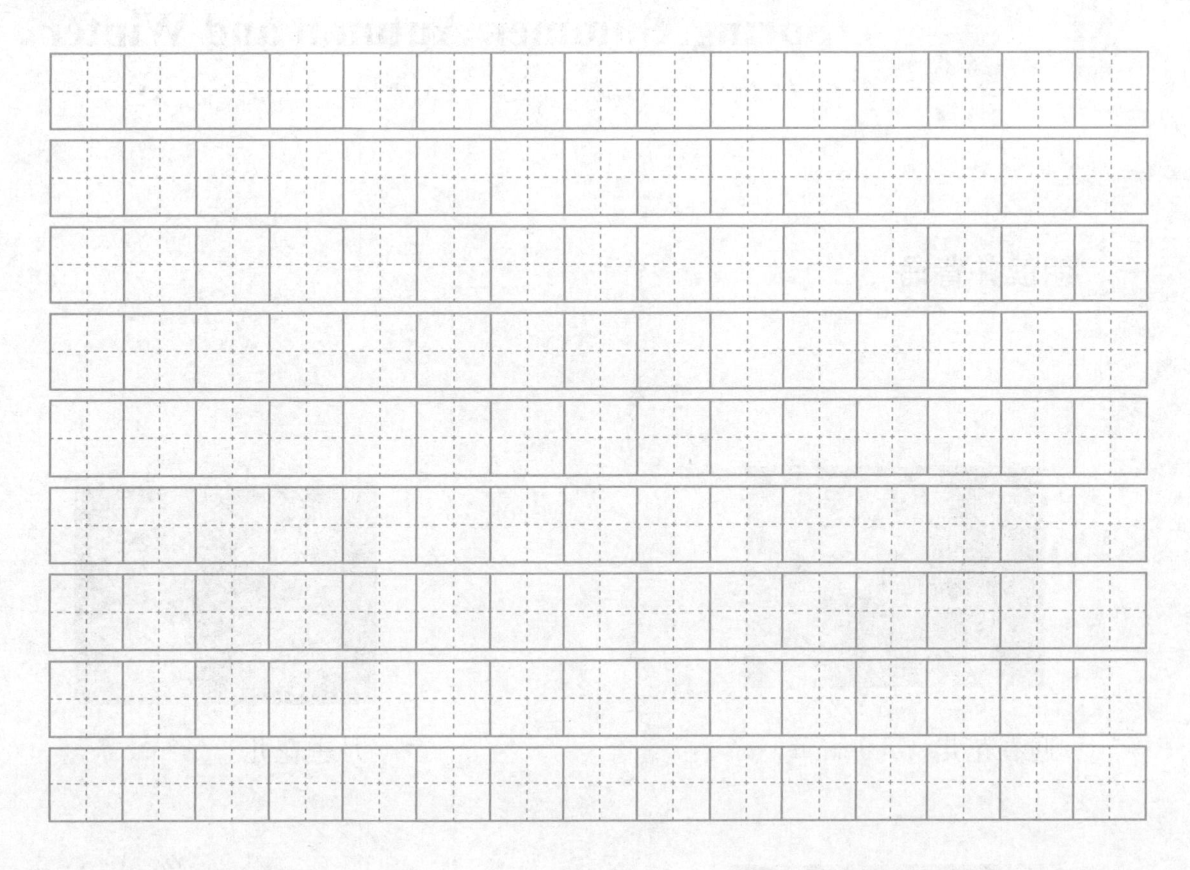

我写的短文：

12 春夏秋冬

Spring, Summer, Autumn and Winter

一、朗读并背诵　*Read and recite*

迎春花儿　yíngchūnhuār

月季花儿　yuèjìhuār

菊花儿　júhuār

雪花儿　xuěhuār

前 后左 右，东西南北。
Qián hòu zuǒ yòu，dōng xī nán běi.

春 夏秋 冬，日月 山 水。
Chūn xià qiū dōng，rì yuè shān shuǐ.

吃喝 玩 乐，眼耳 手 嘴。
Chī hē wán lè， yǎn ěr shǒu zuǐ.

大 小高矮，走去来回。
Dà xiǎo gāo ǎi， zǒu qù lái huí.

后　hòu　back

左　zuǒ　left

右　yòu　right

春（春天）　chūn (chūntiān)　spring

夏（夏天）　xià (xiàtiān)　summer

秋（秋天）　qiū (qiūtiān)　autumn

我 爱 春天， 春天 有 迎春花儿。
Wǒ ài chūntiān，chūntiān yǒu yíngchūnhuār.

她爱 夏天， 夏天 有 月季花儿。
Tā ài xiàtiān， xiàtiān yǒu yuèjìhuār.

你爱 秋天，秋天 有 菊花儿。
Nǐ ài qiūtiān，qiūtiān yǒu júhuār.

他 爱 冬天， 冬天 有 雪花儿。
Tā ài dōngtiān，dōngtiān yǒu xuěhuār.

日（太阳） rì (tàiyáng) sun
月（月亮） yuè (yuèliang) moon
眼（眼睛） yǎn (yǎnjing) eye
耳（耳朵） ěr (ěrduo) ear
手 shǒu hand
嘴 zuǐ mouth

二、汉字书写练习 *Write characters*

sè 色	6 画 ⺈ 色 colour
chū 出	5 画 凵 凵 屮 出 out
biàn 便	9 画 亻 亻 亻 仁 佰 佰 便 便 clothes
kù 裤	12 画 丶 ラ 礻 礻 礻 衤 衤 裤 裤 裤 trousers, pants

shòu	14 画 疒 疒 疒 疒 疒 疒 疒 疒 瘦 thin, slim
瘦	
zhuān	4 画 二 专 专 particular, special
专	
yǔ	8 画 一 丅 门 币 币 雨 雨 rain
雨	
rán	12 画 丿 ク 夕 夕 灲 ⺼ 然 然 然 然 true, right
然	

三、实用阅读 *Practical reading*

合格证 hégézhèng

小心玻璃 xiǎoxīn bōli

停车收费 tíngchē shōu fèi

parking charges

必须系安全带 bìxū jì ānquándài

buckle up

四、实用练习 *Practical exercises*

1. 看图选择词语或句子 Look at the pictures and choose the words or sentences.

① 

□ 东西没问题。

□ 这儿是停车场。

② 

□ 注意你的车。

□ 在这儿交钱。

③ 

□ 欢迎光临。

□ 注意！有玻璃！

④ 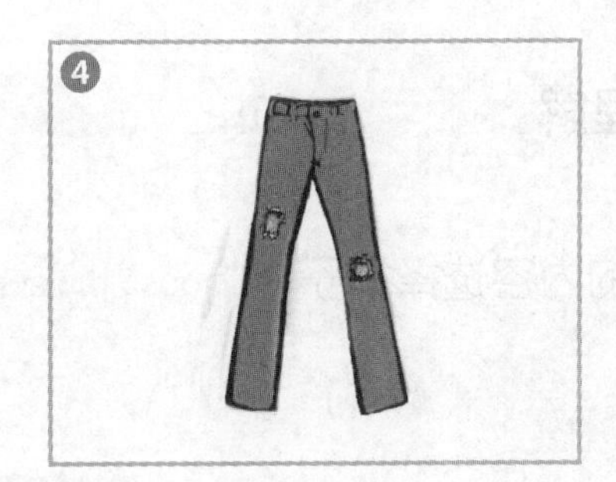

□ 这条裤子又瘦又长。

□ 这条裤子又肥又短。

2. 填写词语或句子 Fill in the blanks with the appropriate words, phrases or sentences.

❶

____

❷

__________，真漂亮！

❸

这条裤子哥哥穿有点儿短，弟弟穿可能__________。

❹

A：他怎么了？__________？

B：不会，他不爱生气。

❺

A：这种__________的衣服你穿不合适。

B：怎么？我不能穿红色的吗？

五、阅读理解 *Reading comprehension*

1. 根据图片的内容选择句子 Choose the sentences according to the pictures.

A

B

C

D E F

例如：我下午一点没有时间。 (C)

（1）别去，那是女试衣间。 ( )

（2）那件羽绒服真好看，颜色也好，样子也好。 ( )

（3）我看，地球变暖跟地球生病一样。 ( )

（4）我们每天都锻炼身体。 ( )

（5）快餐也不一定便宜吧？ ( )

2. 为左面的句子选择合适的回应句 Choose the right answers for the sentences on the left.

例如：（1）星期天上午，你有什么安排？	(A)	A 我想去图书馆看书。
（2）昨天那场比赛你看了吗？我特别不满意。	( )	B 很有意思，我喜欢听。
（3）算了，衣服都这么旧了，别穿了。	( )	C 还可以吧。
（4）这人说话有点儿特别。	( )	D 我就爱穿这件衣服，舒服。
（5）明天多穿点儿啊，要变天儿。	( )	E 他出门了，差不多一个星期以后回来。
（6）方老师在家吗？	( )	F 会下雪吗？

3. 判断句子正误 Decide whether the following sentences are true (√) or false (×).

例如：现在是 11 点，他 7 点半开始上网。

★ 他已经上了 4 个小时的网。 (×)

这个公园的风景真不怎么样。

★ 这个公园不漂亮。 (√)

（1）昨天就说了，十点左右一定到，现在都十一点了，他是不是有事啊？

★ 说话人生气了。 （ ）

（2）真不容易，这才是我要找的书呢。

★ 说话人就想买这本书。 （ ）

（3）马丁，你拿错了吧，这本词典是我的，上面的字是红的。你看，这儿还有我的名字呢。

★ 马丁的词典上面的字是红色的。 （ ）

（4）今年的气候真特别，北方暖和，南方下大雪。

★ 今年气候不正常。 （ ）

（5）现在的年轻人，跟我们年轻的时候可不一样。

★ 说话的是位老年人。 （ ）

4. 抄写短文并模仿写出自己的短文

Copy the following paragraph and write a paragraph of your own following it.

我们国家不下雪，我也不知道下雪是什么样子。昨天北京下了一场大雪，真有意思啊，下完雪地面都白了：树是白的，山是白的，路是白的，汽车上也是白色的雪，好漂亮啊！

下完雪，天气有点儿冷，路上的人都穿了很厚的衣服。差不多出门的都是学生和工作的人，大家急急忙忙地去上学，去上班。我不想在房间里，我想在学校里走一走。我喜欢下雪，我喜欢下雪以后有点儿冷的空气，我喜欢我的旁边都是白色的雪。

抄写短文：

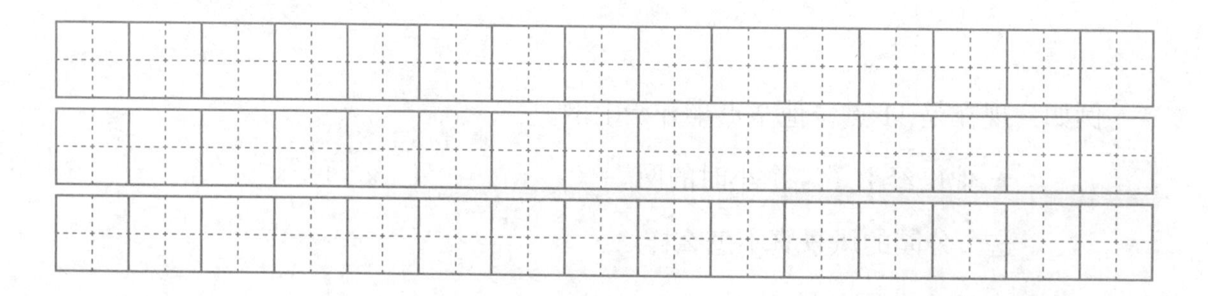

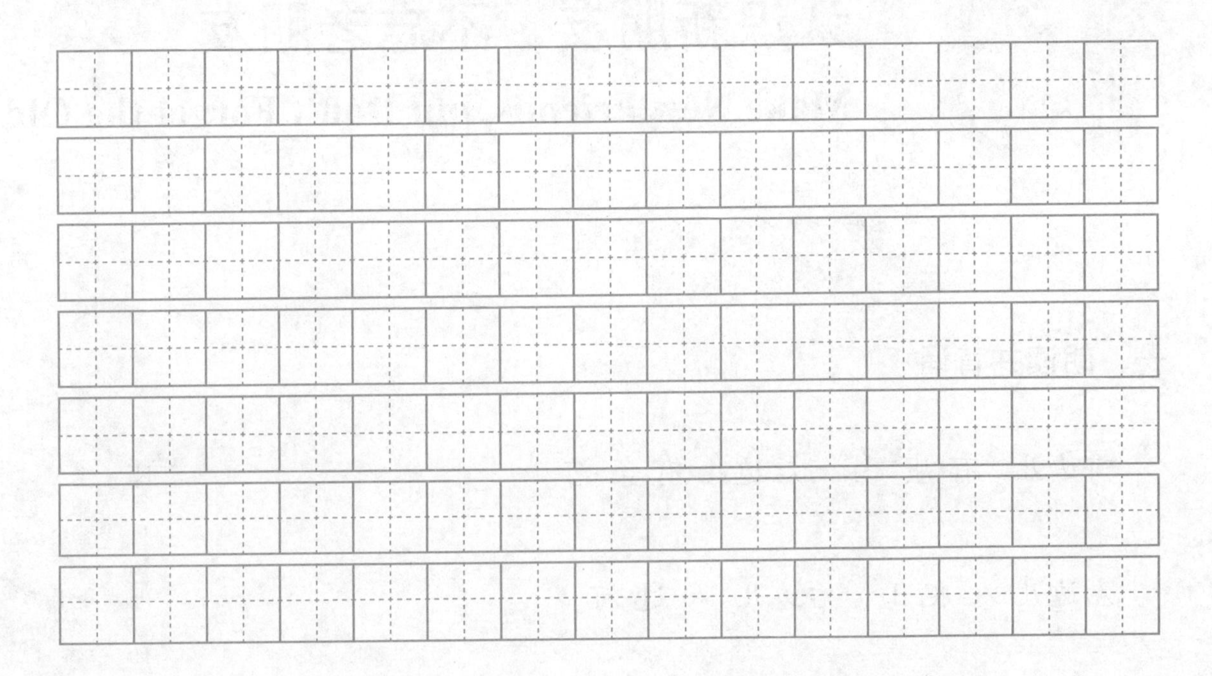

我写的短文：

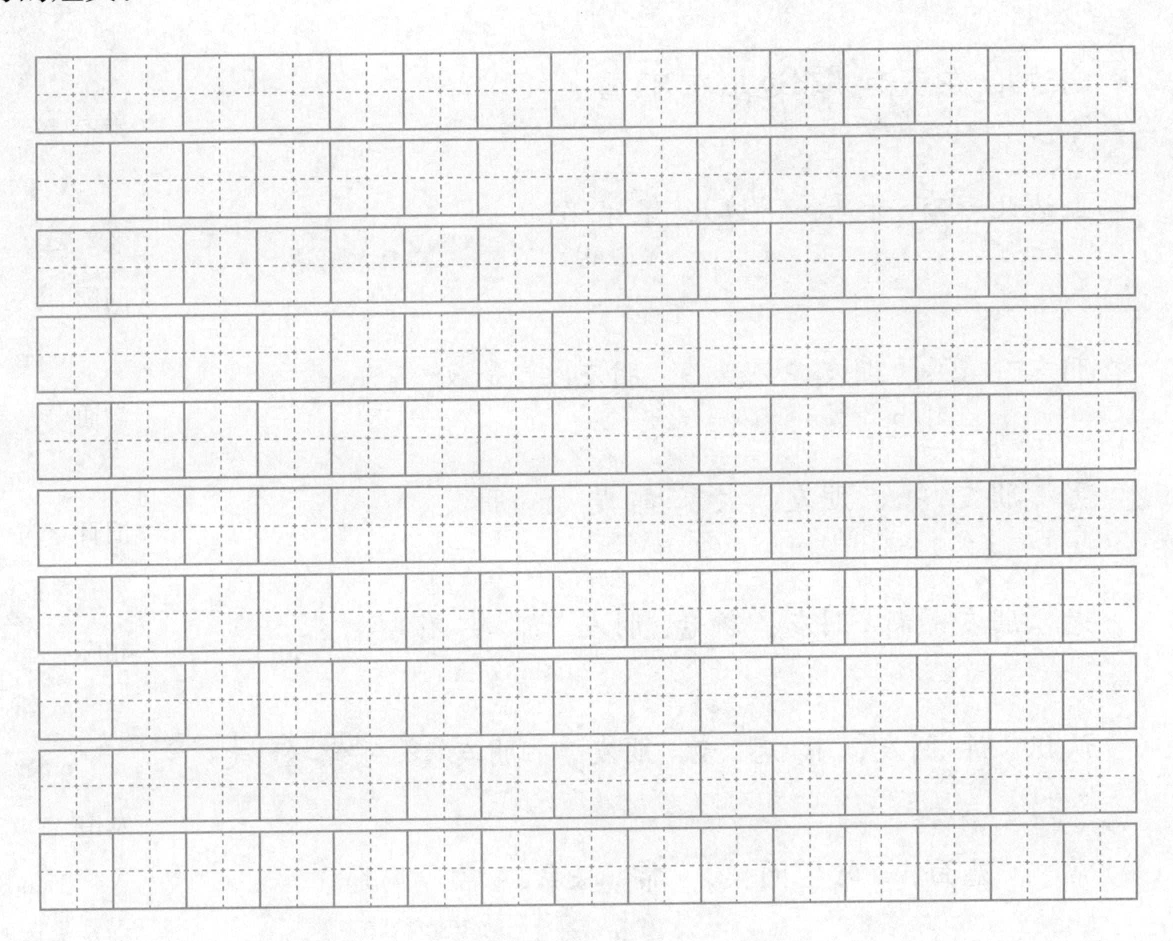

13 认识新朋友，不忘老朋友
Make New Friends, but Don't Forget the Old Ones

一、朗读并背诵 *Read and recite*

前边儿 有 座 山，后边儿 有 条 河。
Qiánbianr yǒu zuò shān，hòubianr yǒu tiáo hé.

左边儿 人 爬 山，右边儿 人 过 河。
Zuǒbianr rén pá shān，yòubianr rén guò hé.

东边儿 有 太阳，西边儿 有 月亮。
Dōngbianr yǒu tàiyáng，xībianr yǒu yuèliang.

南边儿 在 下 雨，北边儿 在 下 雪。
Nánbianr zài xià yǔ，běibianr zài xià xuě.

上边儿 有 哥哥，下边儿 有 弟弟。
Shàngbianr yǒu gēge，xiàbianr yǒu dìdi.

朋友 多，朋友 少，有 朋友 就 是 好。
Péngyou duō，péngyou shǎo，yǒu péngyou jiù shì hǎo.

男 朋友，女 朋友，大家 都 是 好 朋友。
Nán péngyou，nǚ péngyou，dàjiā dōu shì hǎo péngyou.

老 朋友，新 朋友，新老 朋友 都 要 有。
Lǎo péngyou，xīn péngyou，xī lǎo péngyou dōu yào yǒu.

认识 新 朋友，不 忘 老 朋友，朋友 多 了 路 好 走。
Rènshi xīn péngyou，bú wàng lǎo péngyou，péngyou duō le lù hǎo zǒu.

常 见面，常 问候，常 联系，常 沟通。
Cháng jiànmiàn，cháng wènhòu，cháng liánxì，cháng gōutōng.

旧日 朋友 不 相 忘，友谊 才 能 地久天长。
Jiùrì péngyou bù xiāng wàng，yǒuyì cái néng dìjiǔ-tiāncháng.

座 zuò *a measure word*
河 hé river
在 zài *indicating an action in progress*
弟弟 dìdi younger brother
老 lǎo old
问候 wènhòu to greet
沟通 gōutōng to communicate
旧日 jiùrì old days
相忘 xiāng wàng to forget each other
友谊 yǒuyì friendship
地久天长 dìjiǔ-tiāncháng everlasting

二、汉字书写练习 *Write characters*

guǎn	11 画 饣 饣 饣 饣 饣 馆 馆 accomodation for guests
馆	
shǐ	8 画 亻 亻 亻 亻 使 envoy, emissary
使	
jǔ	9 画 丶 丷 ⺍ 𭕄 兴 兴 兴 举 举 to raise
举	
zhào	13 画 日 日 日 昭 照 license
照	
dǒng	15 画 忄 忄 忄 忄 忄 忄 忄 忄 忄 懂 懂 to understand
懂	
suī	9 画 口 吕 吕 虽 虽 although
虽	

è	10画 个 饣 饣' 饣' 饣' 饣我 饿 饿 hungry
饿	
xiàng	13画 亻 亻' 亻' 亻' 亻' 亻' 亻' 像 像 to be like
像	

三、实用阅读 *Practical reading*

节约用电 jiéyuē yòng diàn

节约用水 jiéyuē yòng shuǐ

紧急医疗站 jǐnjí yīliáo zhàn

first aid station, emergency medical station

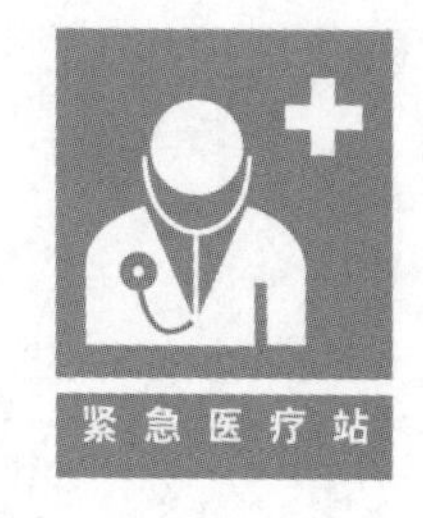

上 下楼梯 靠 右 行

shàng xià lóutī kào yòu xíng

go up and down stairs on the right side

四、实用练习 *Practical exercises*

1. 看图选择词语或句子 Look at the pictures and choose the words or sentences.

□节约用电。
□节约用水。

□水不能喝。
□节约用水。

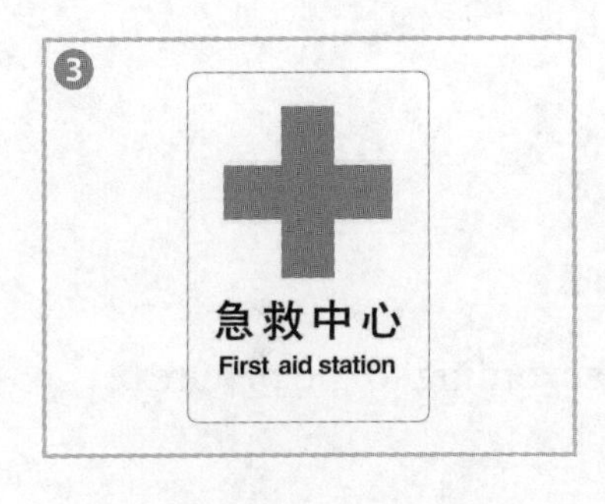

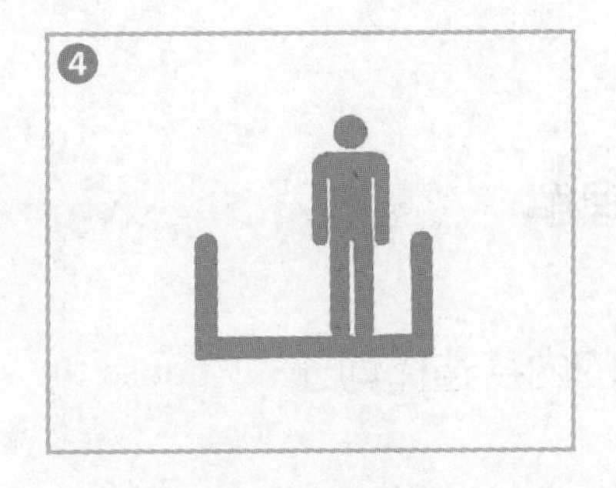

□这儿可以买药。
□突然病了来这儿。

□出门
□请靠右

2. 填写词语或句子 Fill in the blanks with the appropriate words, phrases or sentences.

①

____

②

如果有机会，________________。

③

到了那儿别忘了______________。

④

A：汉语书？__________看懂吗？

B：不全懂，也差不多。

⑤

A：虽然我来中国时间不长，可是我______________。

B：我也想像你那样。

五、阅读理解 *Reading comprehension*

1. 根据图片的内容选择句子 Choose the sentences according to the pictures.

A

B

C

D

E

F

例如：我下午一点没有时间。 （ C ）

（1）我去一下邮局，我妈妈给我寄好吃的来了。 （ ）

（2）为了收拾房间，我昨天都没出去。 （ ）

（3）我就是有点儿感冒，不需要住院。 （　　）

（4）我能带朋友来参加你们的晚会吗？ （　　）

（5）你知道吗？现在出租车司机说话，我都能听懂。 （　　）

2. 为左面的句子选择合适的回应句　Choose the right answers for the sentences on the left.

例如：（1）星期天上午，你有什么安排？ （ A ） A 我想去图书馆看书。

（2）听说，这 30 年，中国人的生活变化很大。 （　　） B 没看见，别急，好好儿找找。

（3）我最近太忙了，您别担心，我都 20 了。 （　　） C 是啊，我也听说了。

（4）他的女朋友是护士，又漂亮，又会关心人。 （　　） D 快坐那儿好好儿吃吧。

（5）今天我可真饿了。 （　　） E 我也想找一个护士。

（6）我的护照丢了，你看见了吗？ （　　） F 联系不上你，我当然担心了。

3. 判断句子正误　Decide whether the following sentences are true (√) or false (×).

例如：现在是 11 点，他 7 点半开始上网。

★ 他已经上了 4 个小时的网。 （ × ）

这个公园的风景真不怎么样。

★ 这个公园不漂亮。 （ √ ）

（1）医生，我感觉好多了，在医院也是吃药，跟在家里差不多，我还是回去吧。

★ 说话人不想出院。 （　　）

（2）大明，我不会记错，第一次看见你，你就是这样。

★ 说话人忘不了大明的样子。 （　　）

（3）我是为了学好汉语才来中国的。

★ 说话人来中国，是为了学好汉语。 （　　）

（4）大使馆的晚会，让带好朋友吗？如果不让，我就不去了。

★ 说话人不想参加大使馆的晚会。 （ ）

（5）马丁呀马丁，你可真爱丢东西，护照都丢两次了吧？

★ 马丁特别爱丢东西。 （ ）

4. 抄写短文并模仿写出自己的短文

Copy the following paragraph and write a paragraph of your own following it.

张小明是我的好朋友。他是中国人，我来中国以后认识的，我们两个在一个学校学习。

我们有好多一样的爱好，比如，我们都喜欢看球，我们都喜欢运动，我们都喜欢音乐，我们都喜欢学习。为了学习，我们天天见面——他教我汉语，我教他英语。我们这个办法特别好，他的英语进步很快，我的汉语进步也很快。我们两个说好了，放假以后，我们要一起去旅游，我还要去他的家看看。我特别想知道普通中国人的生活什么样。

抄写短文：

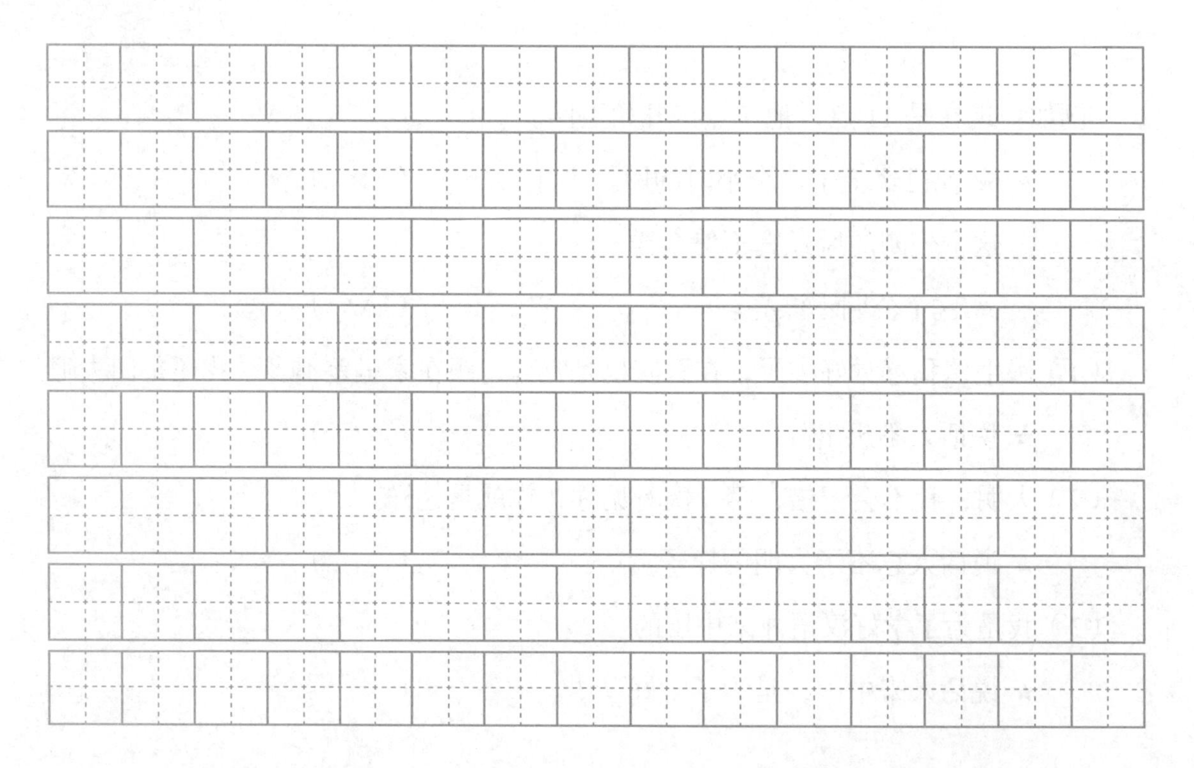

我写的短文：

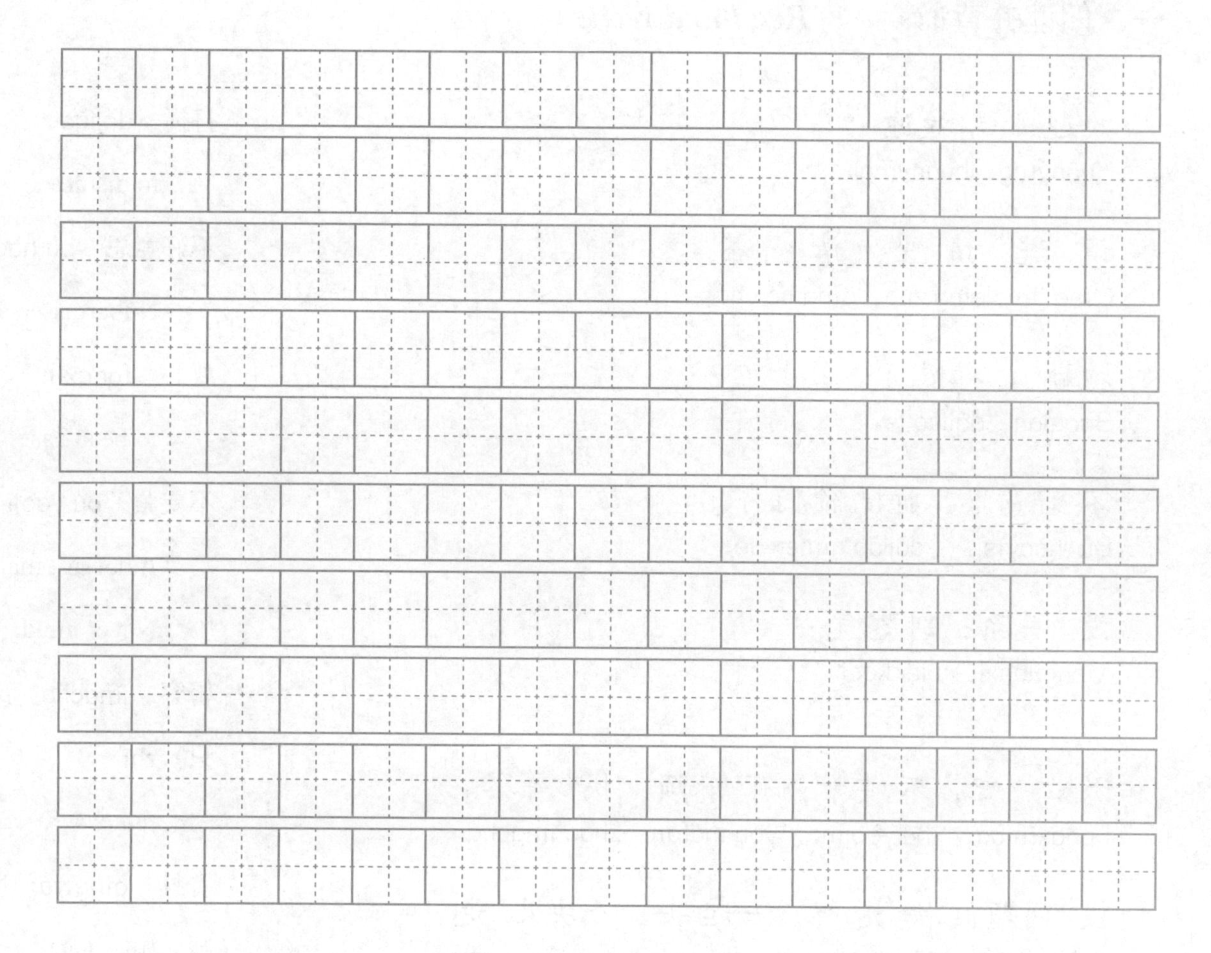

14 打个电话，问问他

Make a Call to Ask Him

一、朗读并背诵　*Read and recite*

欢迎，　欢迎。
Huānyíng，huānyíng.

请 进，请 坐，请 喝 茶。
Qǐng jìn，qǐng zuò，qǐng hē chá.

抱歉，　打搅 了。
Bàoqiàn，dǎjiǎo le.

不 好意思，打搅 你们 了。
Bù hǎoyìsi，　dǎjiǎo nǐmen　le.

没 关系，别 客气。
Méi guānxi，　bié　kèqi.

放心　吧，不 要紧；有 麻烦，找　警察。
Fàngxīn ba，　bú yàojǐn；　yǒu máfan，zhǎo jǐngchá.

没 问题，快 走 吧，一起 去，一块儿 走。
Méi wèntí，　kuài zǒu ba，　yìqǐ　qù，　yíkuàir　zǒu.

别 着急，有 办法；打个 电话，问问 他。
Bié zháojí，　yǒu　bànfǎ；　dǎ　ge diànhuà，wènwen tā.

一只 青蛙 一 张 嘴，两 只 眼睛四 条 腿；
Yì zhī qīngwā yì zhāng zuǐ，liǎng zhī yǎnjing sì tiáo tuǐ；

两 只 青蛙 两 张 嘴，四 只 眼睛 八 条 腿；
liǎng zhī qīngwā liǎng zhāng zuǐ，　sì　zhī yǎnjing bā tiáo tuǐ；

打搅　dǎjiǎo
　to disturb

不好意思　bù hǎoyìsi
　embarrassed, sorry

放心　fàngxīn
　to be at ease

不要紧　bú yàojǐn
　It doesn't matter. / Never mind.

警察　jǐngchá　police

只　zhī
　a measure word

青蛙　qīngwā　frog

腿　tuǐ　leg

三只 青蛙 三 张 嘴，六只 眼睛 十二 条腿；
sān zhī qīngwā sān zhāng zuǐ， liù zhī yǎnjing shí'èr tiáo tuǐ；

……

九只 青蛙 九 张 嘴，十八只 眼睛 多少 条腿？
jiǔ zhī qīngwā jiǔ zhāng zuǐ， shíbā zhī yǎnjing duōshao tiáo tuǐ？

二、汉字书写练习 *Write characters*

fēng	4画 一 三 丰 rich, abundant
丰	
tiào	13画 口 𧾷 跀 跃 跃 跳 跳 跳 to jump
跳	
wǔ	14画 ノ 𠂉 𠂉 無 無 舞 舞 舞 舞 舞 to dance
舞	
jiě	13画 ⺈ ⺈ 角 角 角 觕 觕 觖 解 解 to comprehend, to explain
解	
sàn	12画 一 十 卄 卄 昔 昔 昔 散 散 to dispel
散	

shuì	13 画 目 目 目 盯 盰 盰 睡 睡 睡 to sleep
睡	
kǎo	6 画 土 耂 耂 考 to test
考	
lǚ	10 画 丶 亠 方 方 方 方 方 旅 旅 旅 to travel
旅	

三、实用阅读 *Practical reading*

注意安全 zhùyì ānquán

caution

小心碰头 xiǎoxīn pèng tóu

mind your head

民警提示 mínjǐng tíshì

police reminder

请 您 保管 好自己的 随身 物品

qǐng nín bǎoguǎn hǎo zìjǐ de suíshēn wùpǐn

Please take care of your personal belongings.

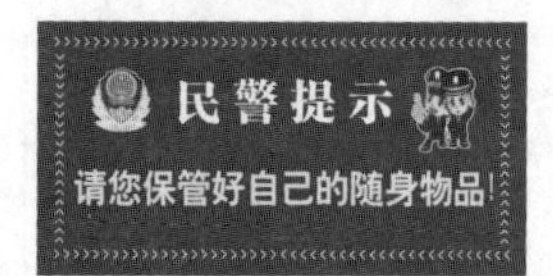

温馨提示 wēnxīn tíshì

a gentle reminder

河 边 危险 请 勿 靠近

hé biān wēixiǎn qǐng wù kàojìn

It's dangerous at the riverside. Please keep off.

四、实用练习 *Practical exercises*

1. 看图选择词语或句子 Look at the pictures and choose the words or sentences.

□ 注意您的重要东西。

□ 你也喜欢听音乐吗？

□ 警察来了！

□ 别去河边！

□ 还不回家？

□ 又唱又跳

□ 做作业

□ 注意安全！

2. 填写词语或句子 Fill in the blanks with the appropriate words, phrases or sentences.

____

周末也不能__________，真没意思！

❸

昨天____________，我们正在路上呢。

❹

A：你____________中国人的生活习惯吗？

B：中国人很喜欢运动吧？每天早上公园里都有很多人锻炼身体。

❺

A：马大明，我有点儿不舒服，你能帮帮我吗？

B：我______________。

五、阅读理解 *Reading comprehension*

1. 根据图片的内容选择句子 Choose the sentences according to the pictures.

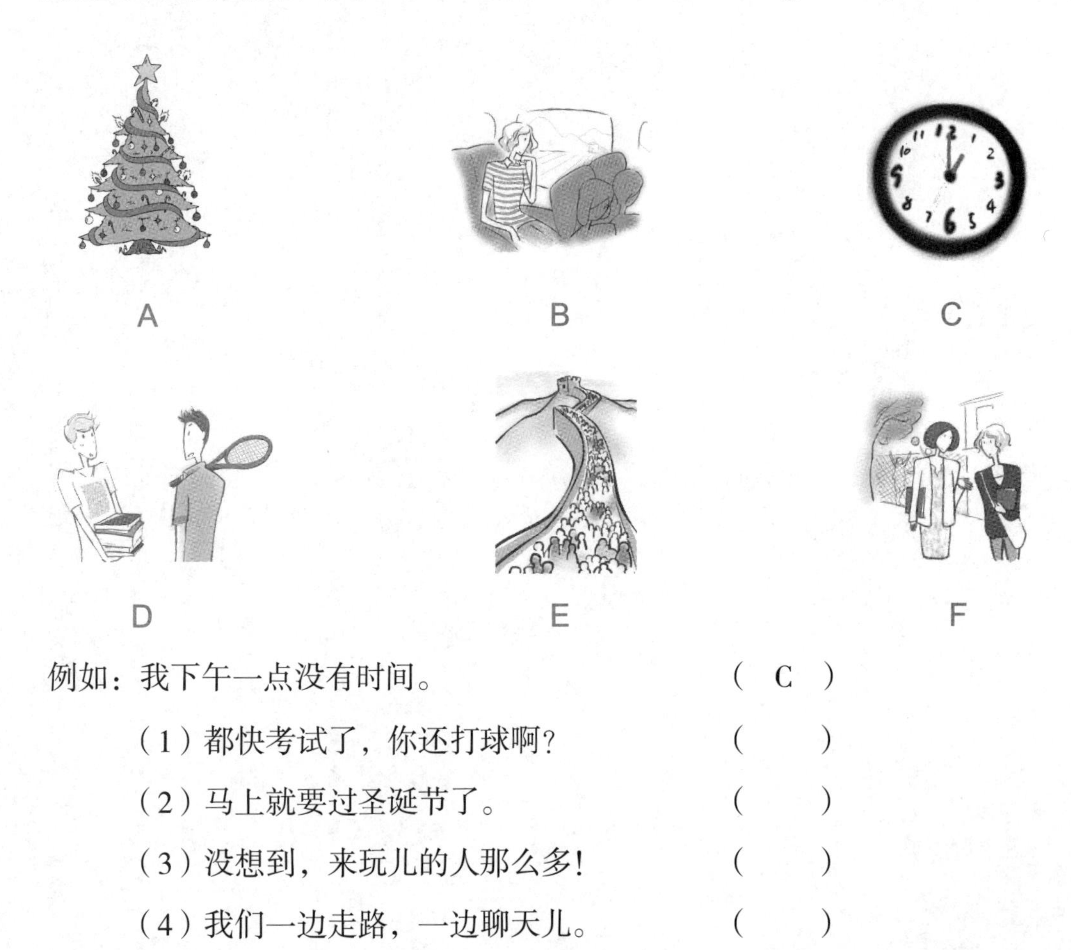

例如：我下午一点没有时间。 （ C ）

（1）都快考试了，你还打球啊？ （ ）

（2）马上就要过圣诞节了。 （ ）

（3）没想到，来玩儿的人那么多！ （ ）

（4）我们一边走路，一边聊天儿。 （ ）

（5）这次放假，我打算去外地旅行。 （ ）

2. 为左面的句子选择合适的回应句 Choose the right answers for the sentences on the left.

例如：（1）星期天上午，你有什么安排？ （ A ） A 我想去图书馆看书。

（2）你要是觉得唱歌没意思，咱们就去跳舞吧。 （ ） B 上公司吧。

（3）天气不好，我看，要下雪。 （ ） C 好啊，我也想休息会儿。

（4）你打算以后做什么工作？ （ ） D 我也这么觉得。

（5）咱们在湖边的椅子上坐会儿吧。（ ） E 跳舞更没意思了。

（6）周末你一般干什么？ （ ） F 收拾收拾房间，洗洗衣服，看看电影，和朋友喝喝茶，聊会儿天儿。

3. 判断句子正误 Decide whether the following sentences are true (√) or false (×).

例如：现在是 11 点，他 7 点半开始上网。

★ 他已经上了 4 个小时的网。 （ × ）

这个公园的风景真不怎么样。

★ 这个公园不漂亮。 （ √ ）

（1）他们一边吃饭，一边聊天儿。

★ 如果他们一起吃饭，就聊天儿。 （ ）

（2）李老师是什么意思呀？我不太清楚。

★ 说话人不了解李老师的意思。 （ ）

（3）晚会就要开始了，你在哪儿呢？大家都等你呢。

★ 说话人有点儿着急。 （ ）

（4）你这个人太认真了，这么认真多累呀。

★ 说话人认为不应该这么认真。 （ ）

（5）我刚吃完晚饭，马丁的电话就来了，让我跟他一起去散步。

★ 马丁来说话人的房间了。 （ ）

4. 抄写短文并模仿写出自己的短文

Copy the following paragraph and write a paragraph of your own following it.

我们学校旁边有一个小公园，公园里有一个湖，湖边有很多树，还有小山，有草地。湖边空气很好，每天到那儿去的人很多，特别是早上。

中国人习惯早睡早起，每天早上五六点钟，湖边就有人了，当然，年轻人要上班，来的大部分是老年人。他们有的散步，有的打太极拳，有的唱歌，有的跳舞。他们说唱歌、跳舞也是锻炼身体。特别有意思的是，很多老年人喜欢带收音机。他们一边锻炼身体，一边听新闻。我觉得中国人关心地球上的每一件事情。差不多十点钟，锻炼身体的老年人就走了，他们说去买菜，买完菜就要做中午饭了。

抄写短文：

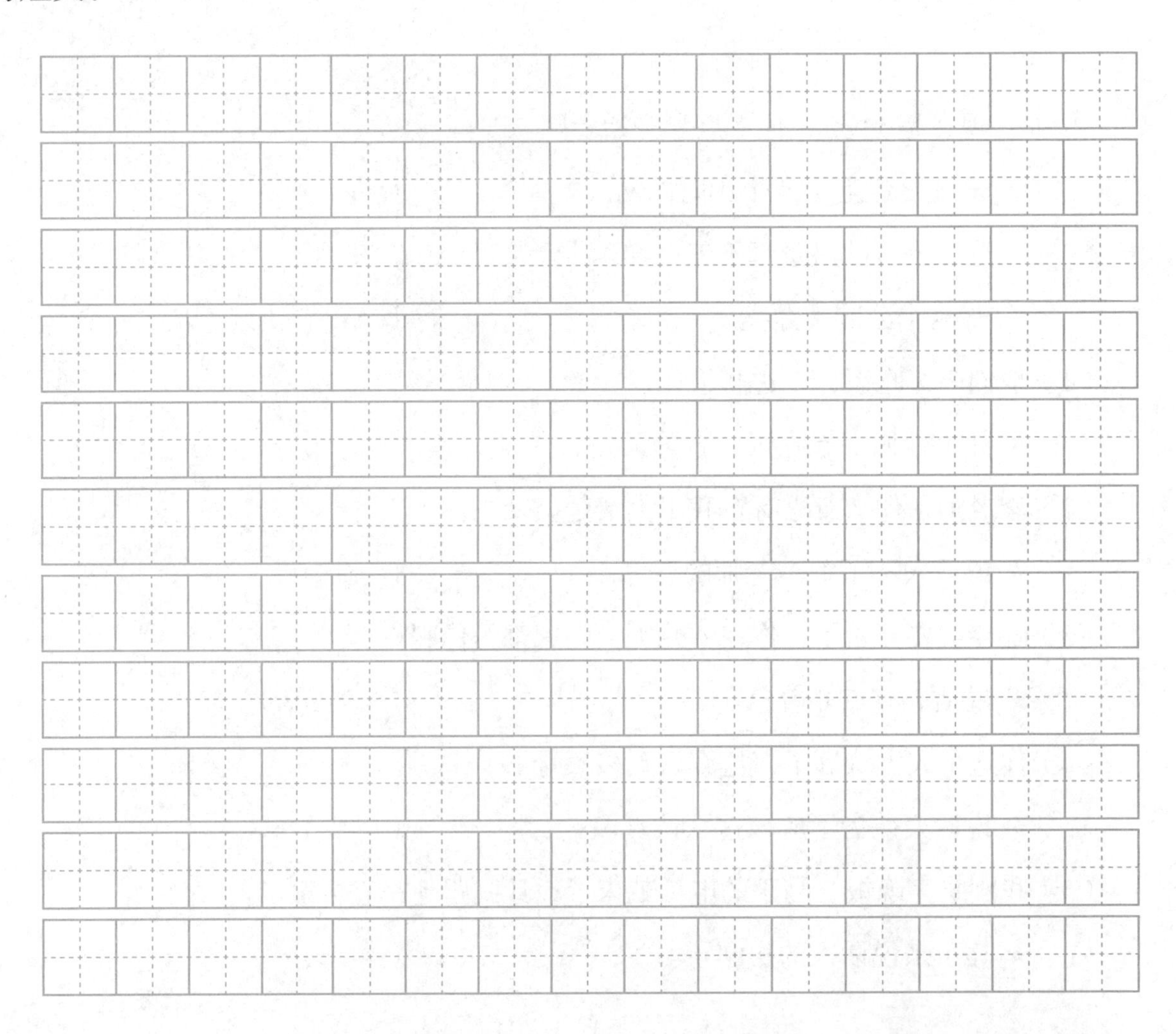

我写的短文：

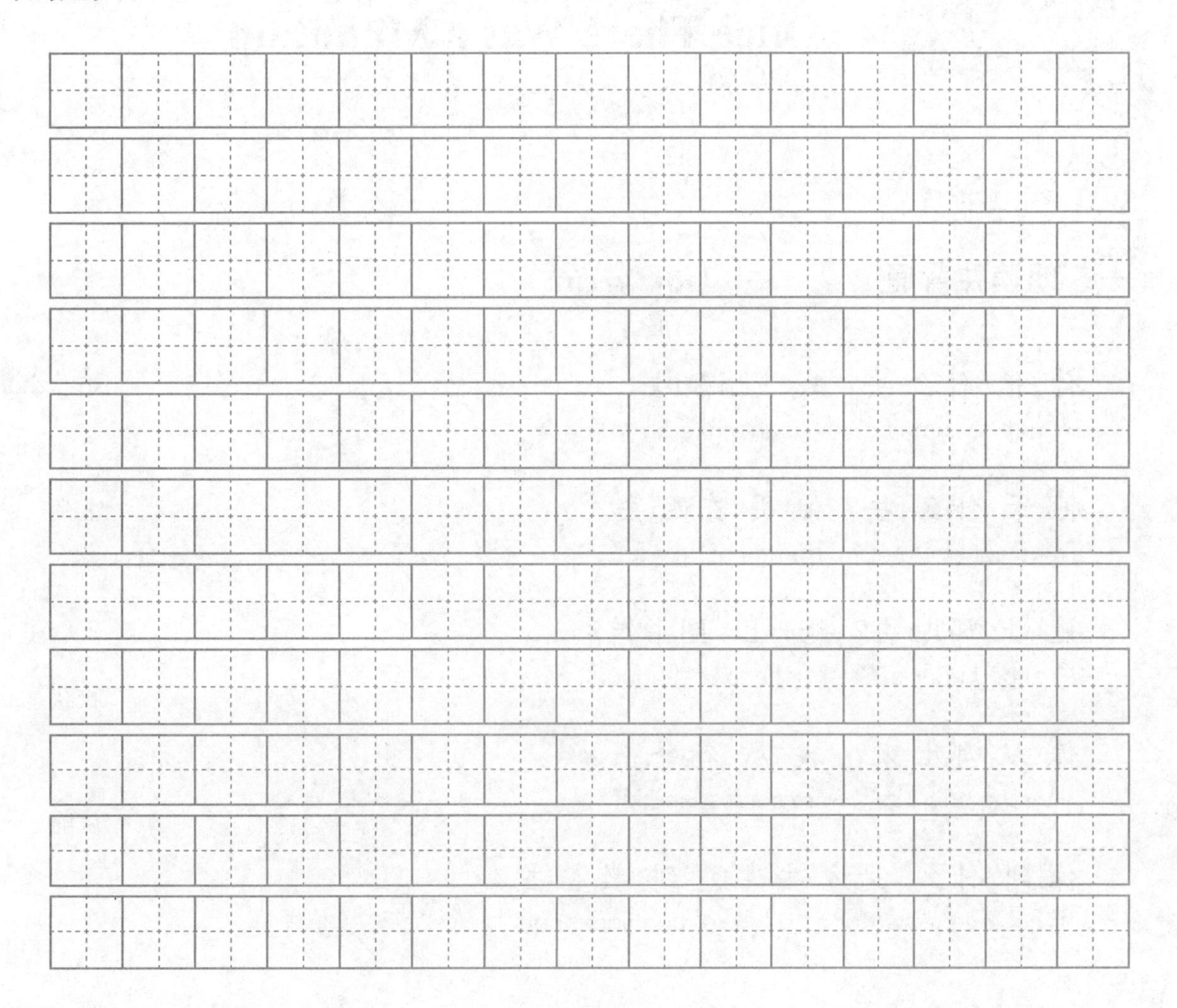

15 从前有座山

Once There Was a Mountain

一、朗读并背诵 *Read and recite*

你干 什么去？我 上课 去。
Nǐ gàn shénme qu? Wǒ shàngkè qu.

他干 什么 去？他买 东西去。
Tā gàn shénme qu? Tā mǎi dōngxi qu.

她 上哪儿去？她 上 图书馆。
Tā shàng nǎr qu? Tā shàng túshūguǎn.

你 从哪儿来？我 从 宿舍来。
Nǐ cóng nǎr lái? Wǒ cóng sùshè lái.

你到 什么 地方去？我到 教室去。
Nǐ dào shénme dìfang qu? Wǒ dào jiàoshì qu.

打开 电脑， 上网 聊天儿，发个邮件， 问候 朋友。
Dǎkāi diànnǎo, shàngwǎng liáotiānr, fā ge yóujiàn, wènhòu péngyou.

进站买票， 上车刷卡， 上街买菜， 回家做饭。
Jìn zhàn mǎi piào, shàng chē shuā kǎ, shàng jiē mǎi cài, huí jiā zuò fàn.

休息休息，看看 电视，准备 准备，明天 出发。
Xiūxi xiūxi, kànkan diànshì, zhǔnbèi zhǔnbèi, míngtiān chūfā.

回到家里，收拾 收拾，出去旅行，收获 很大。
Huídào jiāli, shōushi shōushi, chūqu lǚxíng, shōuhuò hěn dà.

站 zhàn station

上街 shàng jiē to go shopping

收获 shōuhuò gain, harvest

从前 cóngqián once upon a time

座 zuò *a measure word*

庙 miào (Buddhist) temple

和尚 héshang monk

从前 有 座 山，山 里 有 座 庙，庙 里 有 个 和尚 讲
Cóngqián yǒu zuò shān，shān li yǒu zuò miào，miào li yǒu ge héshang jiǎng

故事，讲 的 什么 呢？——从前 有 座 山，山 里 有 座 庙，庙
gùshi，jiǎng de shénme ne? — Cóngqián yǒu zuò shān，shān li yǒu zuò miào，miào

里 有 个 和尚 讲 故事，讲 的 什么 呢？——从前 有 座 山，
li yǒu ge héshang jiǎng gùshi，jiǎng de shénme ne? — Cóngqián yǒu zuò shān，

山 里 有 座 庙，庙 里 有 个 和尚 讲 故事，讲 的 什么 呢？
shān li yǒu zuò miào，miào li yǒu ge héshang jiǎng gùshi，jiǎng de shénme ne?

——从前 有 座 山，山 里 有 座 庙，庙 里 有 个 和尚 讲
— Cóngqián yǒu zuò shān，shān li yǒu zuò miào，miào li yǒu ge héshang jiǎng

故事，讲 的 什么 呢？……
gùshi，jiǎng de shénme ne?……

（特别提示：请教师带领学生由慢到快、到更快，朗读和背诵这段文字游戏，直到每位同学都能准确、流利和快速地反复背诵下来。）

二、汉字书写练习 *Write characters*

gài	13 画 一 十 才 木 朩 杩 杩 根 根 根 椐 椻 概 general idea, outline
概	
piào	11 画 覀 票 票 ticket
票	
suǒ	8 画 ㇀ 厂 戶 戶 戶 所 所 所 place
所	

yuán	10 画 厂 厂 盾 原 original
原	
shuā	8 画 ㇆ コ 尸 吊 刷 to brush, to swipe
刷	
qīng	9 画 车 轩 轻 relaxed
轻	
tòng	12 画 疒 疒 疠 痏 痛 ache, pain; extremely
痛	
biǎo	8 画 = 丰 主 丰 丰 表 表 to express, to show
表	

三、实用阅读 *Practical reading*

可回收物 kě huíshōu wù

不可回收物 bù kě huíshōu wù

其它垃圾 qítā lājī

废电池回收 fèi diànchí huíshōu

四、实用练习 *Practical exercises*

1. 看图选择词语或句子 Look at the pictures and choose the words or sentences.

□ 可以回收的东西

□ 不能回收的东西

□ 用完了的电池

□ 不能回收的东西

□ 这瓶葡萄酒多少钱?

□ 喝水好还是喝饮料好?

□ 公共汽车

□ 我自己的汽车

2. 填写词语或句子 Fill in the blanks with the appropriate words, phrases or sentences.

❶

____

❷

你游泳游得________________？

❸

昨天，________________，八点多就到长城了。

❹

A：你对太极拳怎么那么清楚啊？

B：通过看书，慢慢____________。

❺

A：别人都说你回国了，原来你没走啊。

B：开始是想回去的，后来______________，就没走。

五、阅读理解 *Reading comprehension*

1. 根据图片的内容选择句子 Choose the sentences according to the pictures.

A

B

C

D　　　　　　　　E　　　　　　　　F

例如：我下午一点没有时间。 （ C ）

（1）原来你早饭都吃中餐呀！ （　　）

（2）我觉得这个学期在我们班，过得特别愉快。 （　　）

（3）我小时候就爱听爸爸讲故事。 （　　）

（4）咱们这儿离那个有名的公园有多远啊？ （　　）

（5）昨天晚会上我才知道，朱云云舞跳得那么好。 （　　）

2. 为左面的句子选择合适的回应句 Choose the right answers for the sentences on the left.

例如：（1）星期天上午，你有什么安排？（ A ） A 我想去图书馆看书。

（2）坐公共汽车都得刷卡吗？ （　　） B 没事的时候还行，忙的时候不想做。

（3）这么晚了，他可能不来了吧？（　　） C 是吗？三班更好吧？

（4）你爱做饭吗？ （　　） D 我也希望快点儿考完。

（5）你们演得太好了！ （　　） E 不会吧。昨天晚上我们打电话，他还说来呢。

（6）考完试就轻松了。 （　　） F 没有卡买票也行，但是刷卡便宜。

3. 判断句子正误 Decide whether the following sentences are true (√) or false (×).

例如：现在是 11 点，他 7 点半开始上网。

★ 他已经上了 4 个小时的网。 （ × ）

这个公园的风景真不怎么样。

★ 这个公园不漂亮。 （ √ ）

（1）通过这个学期的学习，我们的汉语都进步了不少。

★ 这个学期，我们的汉语进步很大。　　（　　）

（2）知识丰富、做事认真的老师，学生最喜欢。

★ 学生喜欢每一位老师。　　（　　）

（3）昨天我们去了西山公园，那儿风景真好，我们都不想回来了。

★ 我们昨天住在西山公园了。　　（　　）

（4）我每个月都得花五千多块钱。

★ 每月五千块钱不够说话人花。　　（　　）

（5）刷卡是方便多了，可是卡丢了就麻烦了。

★ 卡可不能丢呀。　　（　　）

4. 抄写短文并模仿写出自己的短文

Copy the following paragraph and write a paragraph of your own following it.

这个学期快要结束了，大家说好周末开个晚会。

我们班的男同学都喜欢做饭，他们在中国学会了做中餐。包饺子、做中国菜都没问题，所以，做饭的事情就交给他们了。我们女同学要准备东西，买水果，买饮料，还得买点儿葡萄酒，啤酒也有人喜欢。

晚会上，当然要表演节目了。从昨天开始就有人报名了，有唱歌的，有跳舞的，有表演太极拳的，还有人愿意讲故事，节目真丰富啊！

我表演个什么节目呢？我还没想好，我想表演一个汉语节目，看看大家能不能听懂。

抄写短文：

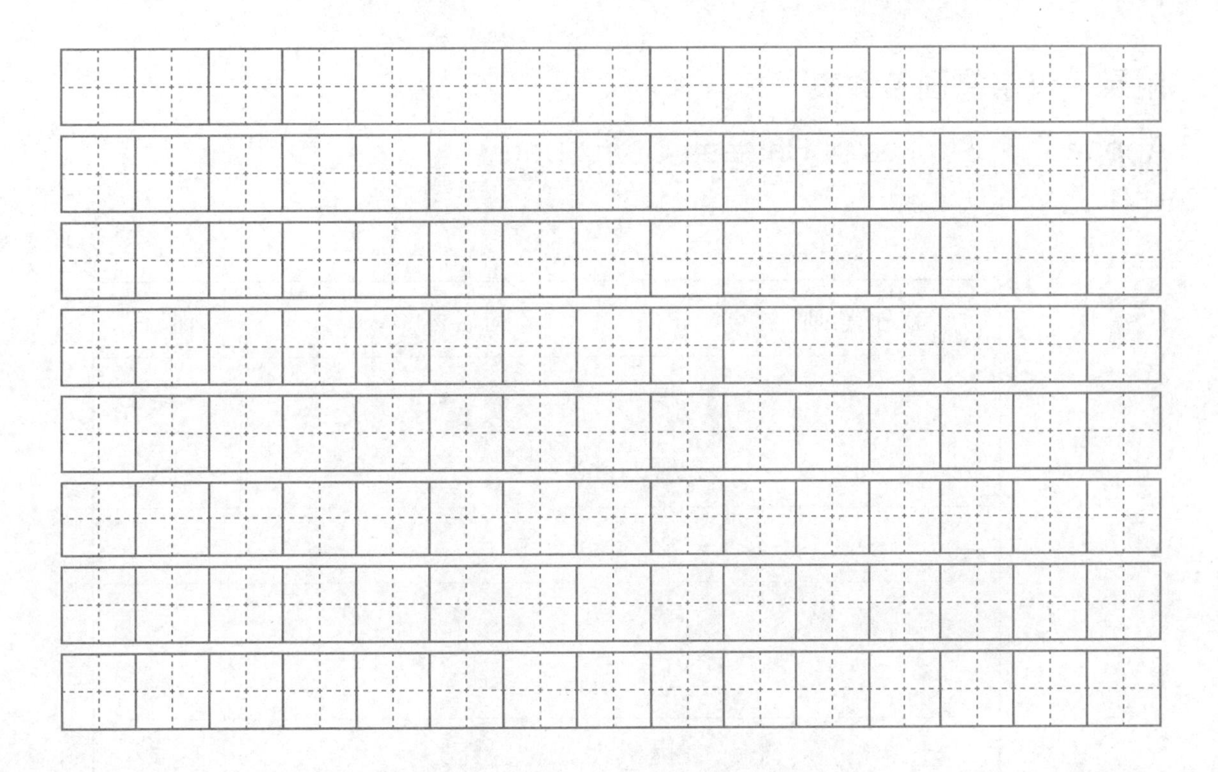

我写的短文：

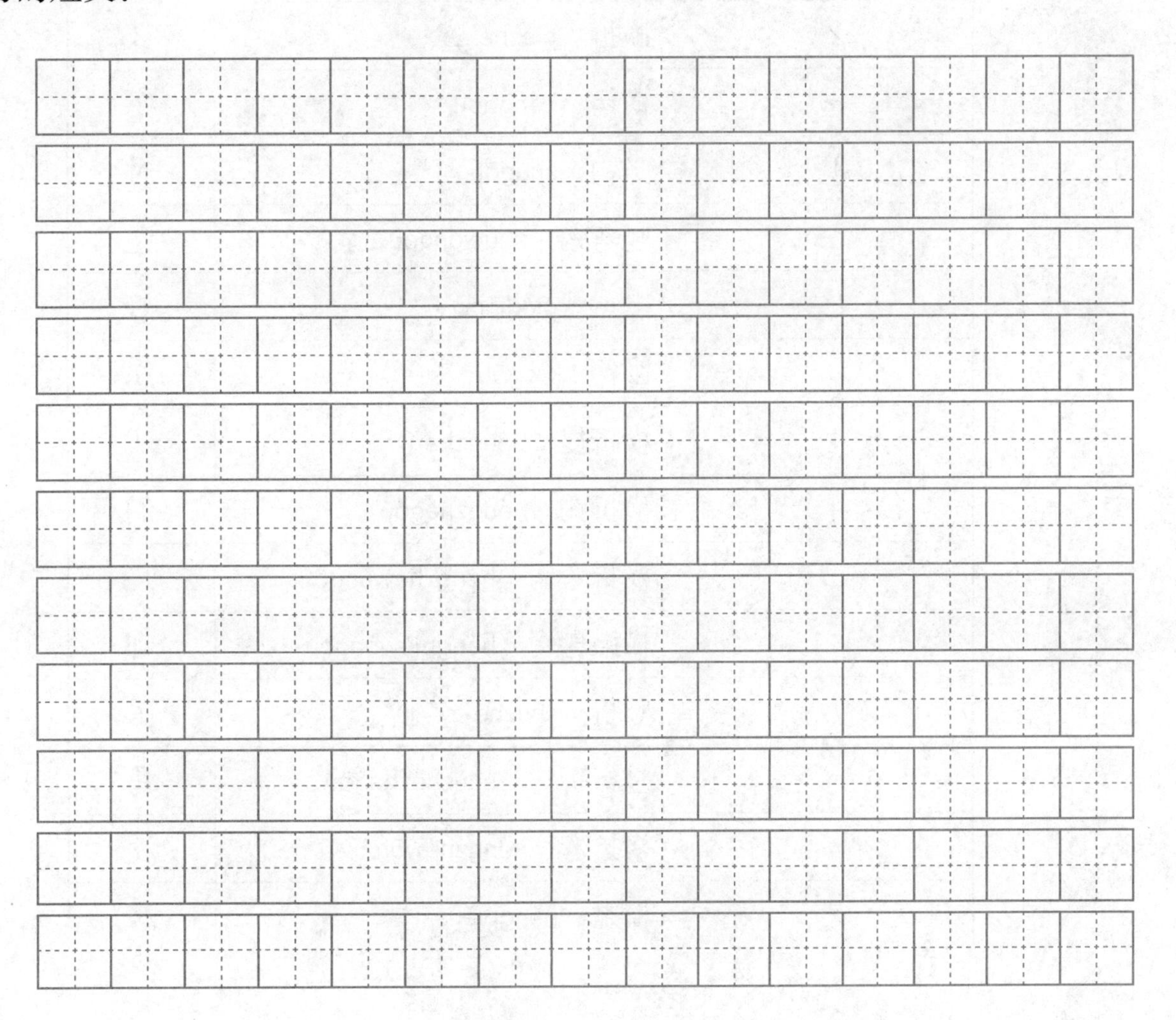

附录 汉字笔画名称表

Appendix Strokes of Chinese Characters

汉字笔画	笔画名称	例字
一	横 héng	二
丨	竖 shù	你
丿	撇 piě	八
㇏	捺 nà	天
丶	点 diǎn	我
㇀	提 tí	拉
㇕	横折 héngzhé	五
㇜	撇折 piězhé	么
㇖	横钩 hénggōu	字
亅	竖钩 shùgōu	对
㇟	竖弯钩 shùwāngōu	也
㇛	撇点 piědiǎn	好
㇃	卧钩 wògōu	您
㇊	横折提 héngzhétí	认
㇆	横折钩 héngzhégōu	们
㇈	横折弯钩 héngzhéwāngōu	几
㇌	横撇弯钩 héngpiěwāngōu	都
㇄	竖折 shùzhé	医
㇉	竖折折钩 shùzhézhégōu	马
㇍	横折弯 héngzhéwān	没
㇇	横撇 héngpiě	汉

㇋	横折折撇 héngzhézhépiě	这
㇙	竖提 shùtí	饭
㇂	斜钩 xiégōu	钱
⺄	横折斜钩 héngzhéxiégōu	气
㇌	横折折折钩 héngzhézhézhégōu	场

《发展汉语》（第二版）

基本使用信息

教　材	适用对象	每册课数	每课建议课时	每册建议总课时
初级综合（Ⅰ）	零起点及初学者	30课	5课时	150-160
初级综合（Ⅱ）		25课	6课时	150-160
中级综合（Ⅰ）	已掌握2000-2500词汇量	15课	6课时	90-100
中级综合（Ⅱ）		15课	6课时	90-100
高级综合（Ⅰ）	已掌握3500-4000词汇量	15课	6课时	90-100
高级综合（Ⅱ）		15课	6课时	90-100
初级口语（Ⅰ）	零起点及初学者	23课	4课时	92-100
初级口语（Ⅱ）		23课	4课时	92-100
中级口语（Ⅰ）	已掌握2000-2500词汇量	15课	6课时	90-100
中级口语（Ⅱ）		15课	6课时	90-100
高级口语（Ⅰ）	已掌握3500-4000词汇量	15课	4课时	60-70
高级口语（Ⅱ）		15课	4课时	60-70
初级听力（Ⅰ）	零起点及初学者	30课	2课时	60-70
初级听力（Ⅱ）		30课	2课时	60-70
中级听力（Ⅰ）	已掌握2000-2500词汇量	30课	2课时	60-70
中级听力（Ⅱ）		30课	2课时	60-70
高级听力（Ⅰ）	已掌握3500-4000词汇量	30课	2课时	60-70
高级听力（Ⅱ）		30课	2课时	60-70
初级读写（Ⅰ）	零起点及初学者	15课	2课时	30-40
初级读写（Ⅱ）		15课	2课时	30-40
中级阅读（Ⅰ）	已掌握2000-2500词汇量	15课	2课时	30-40
中级阅读（Ⅱ）		15课	2课时	30-40
高级阅读（Ⅰ）	已掌握3500-4000词汇量	15课	2课时	30-40
高级阅读（Ⅱ）		15课	2课时	30-40
中级写作（Ⅰ）	已掌握2000-2500词汇量	12课	2课时	30-40
中级写作（Ⅱ）		12课	2课时	30-40
高级写作（Ⅰ）	已掌握3500-4000词汇量	12课	2课时	30-40
高级写作（Ⅱ）		12课	2课时	30-40

发展汉语 Developing Chinese 第二版 2nd Edition

综 合

书名	附件	ISBN	定价
初级综合（Ⅰ）	含1MP3	ISBN 978-7-5619-3076-2	79.00元
初级综合（Ⅱ）	含1MP3	ISBN 978-7-5619-3077-9	75.00元
中级综合（Ⅰ）	含1MP3	ISBN 978-7-5619-3089-2	56.00元
中级综合（Ⅱ）	含1MP3	ISBN 978-7-5619-3239-1	60.00元
高级综合（Ⅰ）	含1MP3	ISBN 978-7-5619-3133-2	55.00元
高级综合（Ⅱ）	含1MP3	ISBN 978-7-5619-3251-3	60.00元

口 语

书名	附件	ISBN	定价
初级口语（Ⅰ）	含1MP3	ISBN 978-7-5619-3247-6	65.00元
初级口语（Ⅱ）	含1MP3	ISBN 978-7-5619-3298-8	74.00元
中级口语（Ⅰ）	含1MP3	ISBN 978-7-5619-3068-7	56.00元
中级口语（Ⅱ）	含1MP3	ISBN 978-7-5619-3069-4	52.00元
高级口语（Ⅰ）	含1MP3	ISBN 978-7-5619-3147-9	58.00元
高级口语（Ⅱ）	含1MP3	ISBN 978-7-5619-3071-7	56.00元

听 力

“练习与活动”+“文本与答案”

书名	附件	ISBN	定价
初级听力（Ⅰ）	含1MP3	ISBN 978-7-5619-3063-2	79.00元
初级听力（Ⅱ）	含1MP3	ISBN 978-7-5619-3014-4	68.00元
中级听力（Ⅰ）	含1MP3	ISBN 978-7-5619-3064-9	62.00元
中级听力（Ⅱ）	含1MP3	ISBN 978-7-5619-2577-5	70.00元
高级听力（Ⅰ）	含1MP3	ISBN 978-7-5619-3070-0	68.00元
高级听力（Ⅱ）	含1MP3	ISBN 978-7-5619-3079-3	70.00元

读 写

- 初级读写（Ⅰ）
  ISBN 978-7-5619-3360-2　32.00 元
- 初级读写（Ⅱ）
  ISBN 978-7-5619-3461-6　32.00 元

阅 读

- 中级阅读（Ⅰ）
  ISBN 978-7-5619-3123-3　29.00 元
- 中级阅读（Ⅱ）
  ISBN 978-7-5619-3197-4　29.00 元
- 高级阅读（Ⅰ）
  ISBN 978-7-5619-3080-9　32.00 元
- 高级阅读（Ⅱ）
  ISBN 978-7-5619-3084-7　35.00 元

写 作

- 中级写作（Ⅰ）
  ISBN 978-7-5619-3286-5　35.00 元
- 中级写作（Ⅱ）
  ISBN 978-7-5619-3287-2　39.00 元
- 高级写作（Ⅰ）
  ISBN 978-7-5619-3361-9　29.00 元
- 高级写作（Ⅱ）
  ISBN 978-7-5619-3269-8　29.00 元

图书在版编目（CIP）数据

初级读写. 1 / 李泉, 王淑红, 么书君编著. — 2版
. — 北京：北京语言大学出版社，2012.8（2019.6 重印）
（发展汉语）
ISBN 978-7-5619-3360-2

Ⅰ. ①初… Ⅱ. ①李… ②王… ③么… Ⅲ. ①汉语—阅读教学—对外汉语教学—教材 ②汉语—写作—对外汉语教学—教材 Ⅳ. ①H195.4

中国版本图书馆 CIP 数据核字（2012）第 197389 号

书　　名：发展汉语（第二版）初级读写（Ⅰ）
责任印制：周　燚

出版发行：北京语言大学出版社
社　　址：北京市海淀区学院路 15 号　　邮政编码：100083
网　　址：www.blcup.com
电　　话：发行部　010-82303650 / 3591 / 3651
编辑部　010-82303647 / 3592 / 3395
读者服务部　010-82303653 / 3908
网上订购电话　010-82303668
客户服务信箱　service@blcup.com
印　　刷：北京中科印刷有限公司
经　　销：全国新华书店

版　　次：2012 年 9 月第 2 版　　2019 年 6 月第 11 次印刷
开　　本：889 毫米 × 1194 毫米　　1/16
印　　张：7.5
字　　数：93 千字
书　　号：ISBN 978-7-5619-3360-2 / H · 12144
定　　价：32.00 元